GEMSTONES

A complete color reference
for precious and semiprecious
stones of the world

宝石の原石を読み解く

ジェムストーンの魅力

カレン・ハレル&メアリー・L・ジョンソン　著

岩田 佳代子　翻訳

ジェムストーン一覧（結晶系別）　22

※カラー別ジェムストーン一覧はp.310をご参照ください

目　次

はじめに

ジェムストーン、それははるか昔から存在する、美しい天然の物質です。そこにひとたび人の手が加われば、宝石など、装飾品としての利用も可能になります。ジェムストーンは、常に人々を魅了してきました。その色や輝きゆえに、場所や時代を問わず、愛されてやまない存在なのです。社会的地位の高さの象徴としても珍重され、その多くに、神秘的な力や治療効果が秘められていると考えられています。そんな、この世のものとは思えない力を信じない人たちでさえ、その強力な魅力には心惹かれているのです。もちろん鉱物学者やジュエラー、コレクターは、その不思議な力を知り抜いています。

宝石の原石は、世界各地、様々な地理的条件や環境下で発見できます。たとえば純炭素の結晶ダイヤモンドは、地中深部の高圧下で形成されて、火山噴火によって地表に送りだされ、パールは、川や汽水性湿地、大洋のサンゴ礁に生息します。一方、河床や、硬岩の鉱脈から採掘されたり、火山性堆積物のリーチングから産出するのは金です。また金は、海水から採収されることもあります。

特定国と深い関係にあるジェムストーンは多く、例えば、コロンビアとエメラルド、ミャンマーとルビーなどです。また中には、1、2ヶ所にしか存在しないといわれる貴重な種もあります。とはいえ、地球にのみ存在するものでもなく、ペリドットは隕石から産出することもあり、宇宙塵には微細なダイヤモンドが含まれています。また、モルダバイトやテクタイトは、隕石落下時の衝撃で地上の岩石からできたガラス質の物質です。

ジェムストーン探しには、運も必要です。これまでの産出地も、多くが偶然の発見でした。たとえば、光沢があったり、透きとおった小石を、子どもが自宅に持ち帰った、な

写真下　砂礫層の沖積ダイヤモンド。ダイヤモンドが含まれているのは、こうした砂礫層のわずか0.0000005パーセントにすぎない。

写真上　ナミビア沿岸の海面下20メートルでダイヤモンドを採掘。

どからです。昨今の探索には、地中探知レーダーや航空磁気測量など、最先端の技術が用いられています。ですが、昔ながらのやり方も健在です。1980年代に発見されたカナダのノースウェスト準州のダイヤモンド鉱脈は、ダイヤモンド・パイプの示準鉱物が、大昔の氷河によって運ばれてきた経路をさかのぼっていき、発見にいたったのです。

川の浅瀬で産出するジェムストーンは、最も採収しやすいといえます。しかしその結果、一獲千金を夢見て、数多くの採鉱者が押し寄せ、「乱獲」の対象となったのです。ゆえにこうした鉱脈は通常、すぐに枯渇します。一方、硬岩を源とするジェムストーンの採収方法は、地下採掘または露天採掘です。けれど、こうした工業技術を駆使した採掘は、ジェムストーンが非常に繊細で、一貫性なく分散している場合（たいていはそうなのですが）、採算があいません。そのため、多くのジェムストーンが、いまだに手掘りされているのです。

自動工程の採掘に最も適しているのが、世界で１番硬い天然の物質、ダイヤモンドです。とはいえ、最も豊かな鉱床においてさえ、その産出量は非常にとぼしいため、採掘に際しては、採算があうか否かの見極めだけに、何十億ドルもの投資を求められることも決して珍しくありません。これほどの大金を費やしてでも採掘を行うのは、ひとえにわたしたちが、この光り輝く石をことのほか高く評価しているからです。

ジェムストーンの美しさを引きだす方法はたくさんあります。クリーニングや、様々なスタイルへのカッティングなどは、その魅力を一段と

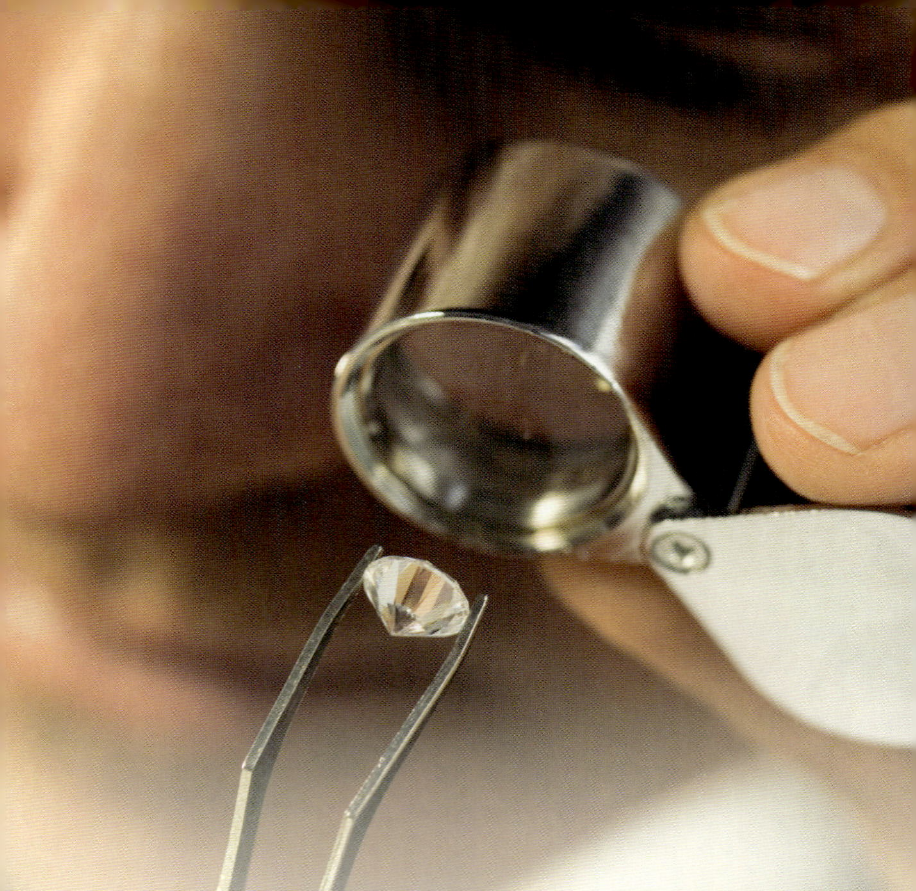

写真上　10倍率のルーペで入念に調べてはじめて、天然のジェムストーンと見わけられるイミテーションもある。

高めるものであり、これらは広く認められている手法です。一方で、トリートメントと称される方法は、多々問題が指摘されています。たとえば、表面の細かなクラックを見えないようにするために、オイルを含浸させたり、コーティングしたりすることもあれば、欠けた部分に、ガラスを埋めることもあるのですが、こうしたジェムストーンは、頻繁に特別な手入れをする必要があり、いずれは外観が変化してくる可能性も考えられるのです。ほかにも、色を際立たせるトリートメントがあります。そのために、サファイアは加熱処理され、ダイヤモンドとトパーズは照射処理されることが、決して珍しくありません。一般に、トリートメントされたジェムストーンは、トリートメントされていない、色や透明度が同等のものに比べると、価値が低くなります。

　中には、実験室でつくられるジェムストーンもあります。こうした人工のジェムストーンも普通、化学成分は天然のものと変わりません。人工のルビーやサファイア、ダイヤモンドなどがあるのです。ですが、化学成分が異なり、単に天然のものをなぞらえただけの合成品はイミテーションと称されます。たとえば、ダイヤモンドのイミテーションとして広く利用されているのが、YAG(イットリウム・アルミニウム・ガーネット)という結晶です。また、2～3種類のジェムストーンを張りあわせて、「ダブレット」や「トリプレット」といわれるイミテーションをつくる方法もあります。けれど、信頼にたるジュエラーは、買い手にたいし常に、イミテーションや、人工あるいはトリートメントされたものであると隠さずに説明してくれるはず。買い手が、詳細な情報を得たうえで、購入の判断ができるようにしてくれるのです。

1970年代後半から1980年代前半にかけてのように、ジェムストーンはときに、投資の対象となります。けれど、その価値は往々にして流行に左右されるため、予測が非常に難しいといえるでしょう。さらに、その商品価値の高さゆえに探索にも拍車がかかりますから、新たな大発見でもあれば、それまでは珍しさから高価だったものが、だれもが得られる手ごろな価格になってしまう可能性もあるのです。18世紀、ブラジルとウルグアイでの広大な鉱床発見時のアメジストがそうでした。そこで、19世紀に南アフリカでダイヤモンドの巨大鉱床が発見されると、それによるダイヤモンドの価値下落を阻止するためだけに、ダイヤモンドの採鉱、流通、加工、卸売り会社であるデビアスを中心としたコンソーシアム（共同事業体）が形成されたのです。

わたしたちがジェムストーンに抱いている価値は、社会的、経済的な問題にも大きく関係してきます。高価でありながら小さいジェムストーンは、簡単に持ち運べる富であり、密輸によって、金融上の国際的な監視の目を難なく逃れられるのです。その一例として、「血のダイヤモンド（紛争ダイヤモンド）」があげられます。これは、内戦が繰り広げられている国々で採掘されているダイヤモンドです。子どもや、徴集された人々が採掘を強いられ、その採掘されたダイヤモンドが密輸されて、内戦の資金となっていました。こうした密輸を阻止するため、ダイヤモンド業界は、ダイヤモンドの輸出入を公式に認証する、キンバリー・プロセスというシステムをつくりあげたのです。

写真下　アフリカ海岸線近くの海底に眠るダイヤモンドを探すトロール船。

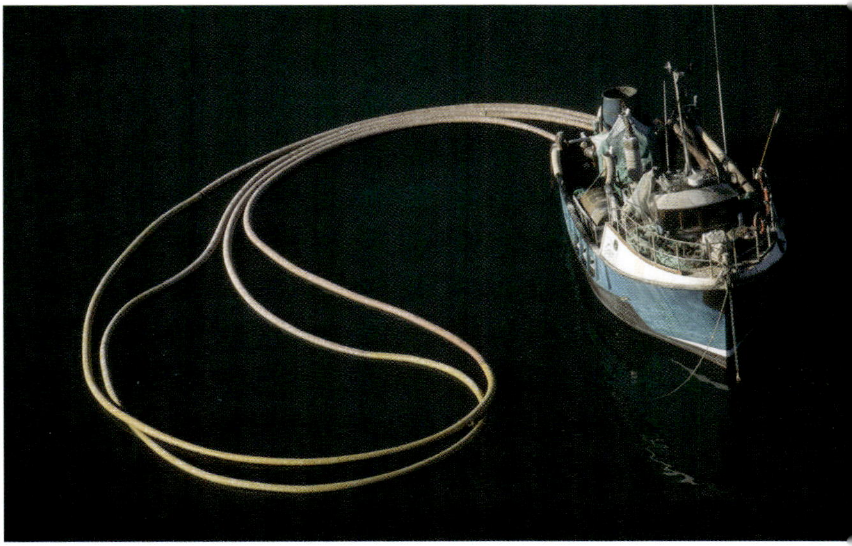

ジェムストーンの世界

　ジェムストーンはすべて天然の物質であり、その物質の大半は鉱物です。本章では、鉱物とは何なのか、なぜごく限られた鉱物だけがジェムストーンといわれるのか、について見ていきましょう。貴金属はもとより、アンバーやパールといった、宝石に加工される有機物質のジェムストーンについても記してあります。

　また、ジェムストーンや鉱物について説明する際に用いられる専門用語についても解説しています。たとえば、屈折率、分散度、比重、硬度、劈開《へきかい》、断口、光沢などです。こうした特性はすべて、科学的に決められてしかるべきものですが、だからといってこのような数値だけで、100パーセントジェムストーンだと判断することはできません。人間による見極めも、必要なのです。真偽を明らかにする確かな目と豊かな経験も、ジェムストーンに向けられるすぐれた道具の１つといえるでしょう。

鉱物とは？

地球を形成しているのは岩石、そしてその岩石を形成しているのが鉱物です。岩石は、主に３種類に分類されます。小さな砂粒などが、長い時間をかけて堆積していくことでつくられる堆積岩。冷えて固まった溶岩から形成される火成岩。一方、変成岩は、地球深部で、高熱や高圧の影響を受けてできあがります。いずれの岩にも、様々な鉱物粒子が含まれていますが、実は、異なる種類の岩から、同じ鉱物が見つかっているのです――まるで、異なる言葉や文章が、繰り返し書かれるたくさんの同じ文字から紡ぎだされているように。

岩の最も基本的な成分は、鉱物ではありません。鉱物はいずれも原子で構成されていて、各鉱物の特徴は、どんな原子が、どのように配列されているかで決まってくるのです。原子の内容（化学組成）は通常、化学式で記されます。これを見れば、各鉱物が有する特徴的な原子と、その相対的な比率がわかるのです。たとえば、クォーツの化学式はSiO_2ですが、これは、シリコン原子（Si）１にたいして、酸素原子（O）が２含まれている、ということを意味しています。

写真上　この岩に見られる青緑色のフローアパタイトは、アパタイトといわれる鉱物グループの１種。

鉱物を鉱物たらしめているのは、その化学組成だけではありません。もう１つ

鉱物とジェムストーン

多くの鉱物が、ジェムストーンには適していません。理由は、軟らかすぎたり、もろすぎたり、くすんでいたり、色がさえない、発見された時点ですでに小さすぎる、などです。また、ジェムストーンはその大半が鉱物ですが、中には違うものもあります。貴重で、美しく、比較的耐久性のある有機物質も、ジェムストーンとみなされているのです。たとえば、硬い樹脂の「化石」アンバー、彫刻も充分に可能な強度を有するコーラルやアイボリーなど。もちろんパールも（写真参照）。パールは、真珠貝をはじめとする軟体動物の中で形成される、つややかな神秘の恵みです。

の決め手が「結晶構造」、つまり分子レベルでの原子の結合と、その結合がもたらす幾何学的形態および幾何構造から、鉱物とみなされるのです。こうした結晶構造は、最近接原子と第２近接原子によって決まる局所構造と、モジュールの配列形態によって決まる長距離秩序からなっています。また、立体構造の配列は、局所構造である単位格子が、無制限に反復できる形でなければなりません。

２つの異なる鉱物が、同じ化学式（化学組成）を持っている、あるいは同じ原子配列（結晶構造）を持っている、ということはあっても、同じ化学式と同じ原子配列を同時に有することはありません。たとえば、ダイヤモンドとグラファイトの化学式はどちらもC（いずれも炭素原子だけで構成されている、ということです）ですが、両者はその原子の配列が異なっています。同じ結晶構造を持つ鉱物は、同じ鉱物グループに属する、といわれることがあります。同じ鉱物グループに属しているからといって、同じ化学組成を有しているわけではありませんが、その性質にはしばしば共通点が見られます。

鉱物の中には、本来の化学式の元素にとってかわる「微量元素」を含んでいるものがあります。こうした微量元素によって、もとの鉱物とまったく異なる鉱物になってしまうことはありませんが、様々な変化がもたらされることは、決して珍しくありません。たとえばエメラルドは、ベリルという鉱物が鮮やかな緑色に変化したものですが、この緑色は、ベリルに元来含まれているアルミニウムの一部が、クロム（Cr）あるいはバナジウム（V）にとってかわられたための色なのです。

結晶の形

鉱物は、それが形成された状態そのままに、様々な形に成長していきます。立方体のように、わかりやすい単結晶の形をとることもあれば、多発性の結晶群として知られるクラスターを形成することも。こうした結晶の成長の多様性は、晶癖として知られています。中には、決して変化しない、独特の晶癖を持った鉱物もあり、それらは必ず、錐体もしくは六角柱状に成長します。一方、２つ以上の晶癖を有する鉱物もあり、同じジェムストーンが、ごく普通の幾何学的形態である単結晶として発見されることもあれば、小さなとげだらけの結晶となって現れることもあるのです。

ごつごつしたジルコンの結晶

重厚なブルー・ベリル
（アクアマリン）

葉片状の１種
カイアナイトの結晶

立方晶系の
フローライトの結晶

シトリン・クォーツの結晶

柱状のアンダルサイト

考えうる鉱物の晶癖の数は膨大で、鉱物学者たちは、それらを説明するために、多数の専門用語を用いています。以下、単体結晶に使われる専門用語をあげてみましょう。針状（針を思わせる形状）、板状（タイルのように平坦な形）、葉片状（長く平板で、草の葉に似ている）、そして柱状（鉛筆のように、複数の平行な側面を持って、長くのびている形状）などです。集合結晶の場合には、葡萄状（ブドウの房に似ている）、腎臓状（腎臓のような形）、晶洞状（きらめく結晶の層を形成）、塊状（不定形の無数の結晶の塊）などがあります。

現在確認されている結晶には様々なものがありますが、それぞれの晶癖がどんなものであれ、原子レベルで見た場合、いずれの結晶も、鉱物の成分が結合して、結晶の構成単位である「単位格子」を形成する方法は限られています。こうした単位格子によって決まるのが、結晶における対称という性質で、この対称こそが、各鉱物を特徴づける最も大きな要因の１つとなっています。対称によって、すべての結晶は、７つの結晶系——立方晶（等軸晶ともいう）、正方晶、六方晶、三方晶、斜方晶、単斜晶、三斜晶——のいずれか１つに分類されるのです。

立方晶系

立方晶系の単位格子は、様々な点が対称をなしています。立方体、八面体（８つの面を持つ）、十二面体（12の面を有する）をはじめとする、左右対称の形こそ、形成される結晶の理想的な形といえるでしょう。この立方晶系に属するジェムストーンには、ダイヤモンド、スピネル、多種のガーネットなどがあります。

正方晶系、六方晶系、三方晶系

正方晶系、六方晶系、三方晶系は、真ん中をとおる虚軸を中心に、すべてが対称になっています。正方晶系（４面）の結晶は、４回軸に対して対称です。これに属する最も一般的なジェムストーンといえば、ジルコンでしょう。六方晶系の結晶は６回軸を有し、よく知られる例として、ベリルがあげられます。一方、三方晶系の結晶は３回軸です。この三方晶系に分類される結晶には、クォーツ、トルマリン、コランダムなどがあります。

斜方晶系、単斜晶系、三斜晶系

上記以外の３つの結晶系——斜方晶系、単斜晶系、三斜晶系——は、前述したような回転軸を持ちません。トパーズをはじめとする斜方晶系の単位格子は、基本的に、レンガのような四角い形状をしています。単斜晶系結晶の単位格子は、レンガ状に見えますが、半面にのみ一部欠落があり、それによって、立体的な平行四辺形を形成しているのです。この欠落は、一端が、直角を保っているほかの２つの角にたいして直角である必要はないことを意味します。たとえば、ムーンストーンを含むオーソクレースやダイオプサイドも単斜晶系です。三斜晶系の結晶は、先端が丸かったり鋭かったりの違いはあるものの、くさびのような形状をしていることも珍しくありません。これに属するものとしては、マイクロクリンやアキシナイトなどがあげられます。

ジェムストーンとは？

ジェムストーンとは、装飾品としての使用に適した、天然の物質です。特徴は３点。美しく、耐久性に富み、希少価値が高いこと。もちろん美しさは、科学的な分類ではありませんが、多くの人が美しいとみなすジェムストーンは通常、見事な透明感を有しているからです。中には、オパールや、巧みなカットが施されたダイヤモンドのように、少し動かしただけで美しいきらめきを発するジェムストーンもあります。一方で、あえて透明度を落とすこともあれば、落としたもののほうがいい、という場合もあります。キャッツアイ効果（シャトヤンシー）や、星彩効果（アステリズム）などがそれに相当するでしょう。また、アレキサンドライトのように、光源の種類に応じて色が変わるジェムストーンもあります。そして、ラピスラズリをはじめとする不透明なジェムストーン。これらは、透明度のなさを補ってあまりある、華やかな色を有しています。

ジェムストーンが耐久性に富んでいる、とはつまり、こすったり衝撃を受けても大丈夫、ということを意味しています。鉱物の硬さを測定するのが「モース硬度」です。「モース硬度」では、最も軟らかい鉱物（タルク）を１、最も硬い鉱物（ダイヤモンド）を10で表示しています。宝石として身につけるジェムストーンには、最低でも硬度７が求められます――さもないと、日々空気中に舞うほこりに含まれている、顕微鏡でなければ確認できないような石英の微粉によって傷つけられてしまいますから。宝石に加工できる品質のコランダムを、ルビーあるいはサファイアといいますが、非常に耐久性が高く、時計の軸受けや文字盤に使用され、これに傷をつけられるのはダイヤモンドしかありません。ダイヤモンドも衝撃により、粉々になったり、劈開にそって割れてしまうこともあります。ジェード（ジェイダイトとネフライト）はおそらく、最も耐久性の高いジェムストーンでしょう。単結晶ではなく、細かな結晶の集合体であるため、非常にこわれにくく、それでいて、とても彫刻しやすいのです。

写真右　1200年前にジェード（ジェイダイト）から彫られた仮面。

写真上　このように光沢のあるパールは、香水やときには皮脂によっても傷つくことがある。

希少性は、商業的にはマイナス要因となりかねません。あまりに珍しすぎると、そのジェムストーンをきちんと理解し、すばらしさを正しく評価できる人がいなくなってしまうためです。一方、入手しやすいジェムストーンは必然的に、色や透明度、大きさをはじめとする様々な質の面で一段と差別化を図り、買い手により多くの選択肢を提供しなければなりません。中には、ほかのものよりはるかに希少性の高い色や透明度、大きさもあります。最も希少性の低いジェムストーンは、その値段もおのずと低くなりがちですが、見事なカッティングや巧みな細工を施すことで、高価で素敵な精製品に生まれ変わることもあるのです。

ジェムストーンは、どんな状況に直面するかわからず、傷つかないものなど１つとしてありません。たとえばエメラルドは非常に割れやすいですし、タンザナイトのように、劈開性が強く、破損しやすいものもあります。パールはことのほか軟らかく、皮脂が原因で傷つくことさえあるのです。にもかかわらず、こうしたもろいジェムストーンが人気なのは、ジェムストーンにとって美しさが最も重要な要素である明確な証といえるでしょう。けれど、その用途——日々身につける指輪なのか、特別なときにだけ使うものなのか、あるいはコレクションとして大切に保管しておくものなのか——を決めるのは、やはり耐久性になってきます。

貴金属

貴金属は、ジェムストーンや鉱物と切っても切れない関係にあります——貴金属が、カットストーンの台座として利用されるからばかりではなく、ある種のジェムストーンの中にインクルージョンとして存在し、そのジェムストーンに独特な色あいを与えていることもあるからです。最もよく使用される貴金属といえば、金、銀、プラチナでしょう。

金は、まずこわれることはありません。また変色しないため、宝石の媒体としてもすぐれています。漂砂鉱床とともに、火成岩内および、それにともなう石英脈でも生成します。金に、銀や銅のようなほかの金属を混ぜて、合金加工が施されることがよくありますが、これは、純金のままだと軟らかすぎて、加工が難しいためです。金の純度はカラットで示されます（米国をはじめとする何カ国かでは、"ct"や"K"という記号で表記）。純金は24カラットです。金の含有率92パーセントの合金は22カラット、75パーセントなら18カラット、37.5パーセントなら9カラットとなります。

銀は金と異なり、ほかの元素との化合物として生成する場合がほとんどです。多くの銀は、淡紅銀鉱、濃紅銀鉱、方鉛鉱といった、銀を含有する鉱物から採掘されます。純銀は、いかにも金属らしい白色の光沢を有し、そのまばゆさは目もくらむほどです。金よりは硬度がありますが、それでも非常に展性は高くなっています。古代の遺跡を見ると、人類は、紀元前3000年という昔からすでに、銀を鉛から分離する方法を知っていたことがわかります。そのころから現在にいたるまで銀は、宝石や硬貨の鋳造に用いられてきているのです。宝石や銀器は古くから、スターリング・シルバーといわれる合金でつくられています。スターリング・シルバーには、銀が92.5パーセント、銅が7.5パーセント含まれており、純銀に比べて硬度が高く、融点が低くなっています。このスターリング・シルバーと並んでよく使用されるのが、銀の含有率95.8パーセントのブリタニア・シルバーと呼ばれるもので、これはテーブルウェアや精巧な皿をつくるのに用いられます。

写真下　貴金属は、結晶、化合物、あるいはこの金のようにナゲットの形態で生成する。

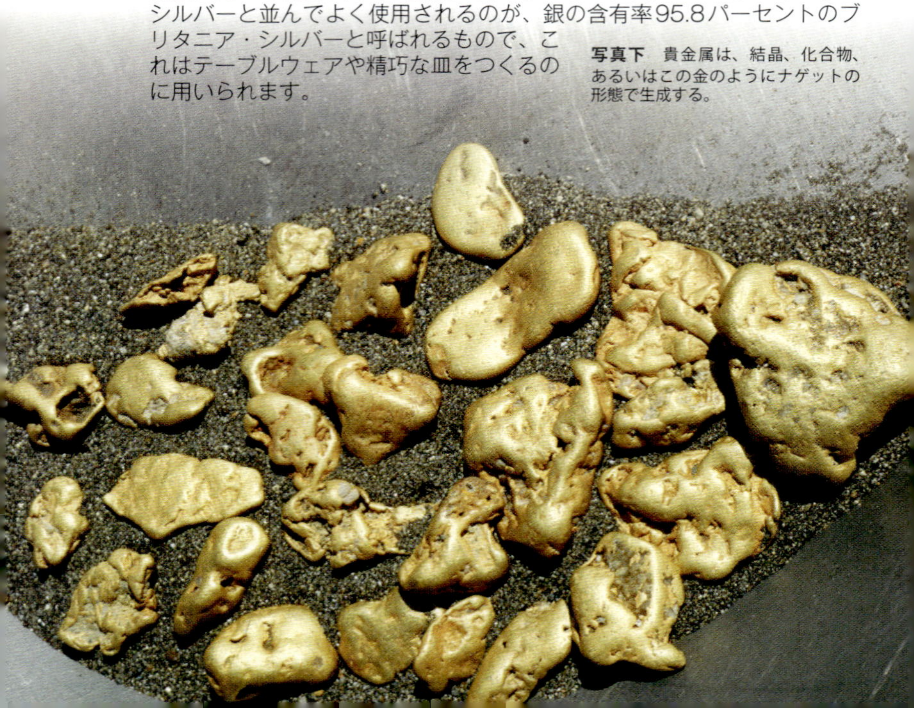

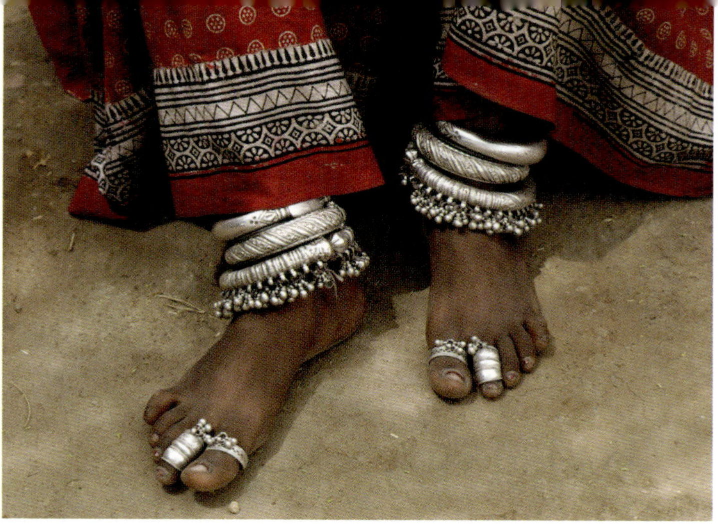

プラチナは、比較的最近知られるようになった存在です。元素として認識されたのも、18世紀になってから。変色しない点は金と同じですが、金よりも重く、はるかに希少です。見た目は銀に似ているものの、白または灰色がかった色あいを有することもあります。自然界には、純度100パーセントのプラチナはほとんど存在せず、通常はほかの金属——鉄、銅、金、ニッケル、イリジウム、パラジウム、ロジウム、ルテニウム、オスミウムなど——との合金です。プラチナの結晶は、形のいいものが非常に珍しいのですが、発見されればそれは、まるで小さな金属のサイコロを思わせる、独特な立方構造をしています。通常はほぼ、ナゲット(塊)や粒の状態で産出します。硫鉄ニッケル鉱の微量元素として鉱石の中で生成します。2つの希少な鉱物——スペリー鉱とクーパー鉱——の中に存在するのが普通です。1920年代になってからようやく、技術が開発され、プラチナを確実に溶かせるようになりました(プラチナの融点は1773度)。それによってプラチナは、美しい金属本来の金銭的な価値を失うことなく、非常に現代的なナデザインの台座へと姿を変えることができるようになり、結果、プラチナ・ジュエリーは並外れて価値の高い、高額商品となったのです。

写真上　この写真のバングルやトゥリングのように、ジェムストーンをつけず、金属のみでつくられているジュエリーもたくさんある。

銀

金

プラチナ

ジェムストーンにかんする専門用語

ジェムストーンは、様々な特徴にもとづいて定義され、識別されます。以下、各項目に応じてジェムストーンをあげ（写真）、その特徴を記してありますので、参照してください。これらは、鉱物学者がジェムストーンを分類する際に使用する、欠くことのできない特性やカテゴリーです。

分類：化学組成とジェムストーンの構造に応じてわけたもの。原子団の中には、結晶構造の「基幹」をなしていると考えられているものもあります。炭素と酸素を含むグループ（炭酸塩鉱物）、燐と酸素を含むグループ（燐酸塩鉱物）、様々な配列を示す、珪素と酸素を含むグループ（たとえばイノ珪酸塩やサイクロ珪酸塩）などがあげられます。

アメジスト —— 分類：珪酸塩鉱物。

結晶系：鉱物の成長を決する原子配列における、鉱物の基本的な対称の形。立方晶系、正方晶系、六方晶系、三方晶系、斜方晶系、単斜晶系、三斜晶系の７種類に分類されます（p. 15を参照）。天然ガラスのように、原子配列が不規則な物質は、非晶質といわれます。ジェムストーンの中にも、規則正しい原子配列を持たないものがありますが、いずれも、原子より大きいものがきちんと配列されています。オパールがその例ですし、シェルやパールといった有機物質もそうでしょう。

パイライト —— 結晶系：立方晶系。
化学組成 —— 硫化鉄。

化学組成：原子の内容（化学的性質）を示すもの。通常、各鉱物を特徴づける原子と、その相対的比率を記した化学式で表されます。

屈折率：鉱物の中に光がはいると、結晶内の原子の影響で、真空中の速度に比べてスピードが落ちます。その減速度合を測ったものが屈折率です。原子の配列密度が高いところもあり、そこはその分、ほかの面に比べて光のスピードが一段と落ちますから、２つ、ときには３つもの屈折率を有する鉱物もあります。

ルビー —— 屈折率：1.761-1.769。

複屈折：２つ以上の屈折率を有する鉱物における、屈折率の最高値と最低値の差量。

クリソプレーズ ——
複屈折：最大0.004。

分散度：スペクトル（虹の７色）にはそれぞれ、色ごとに異なる波長があります。波長が異なれば、当然、鉱物の屈折率も異なってきます（したがって、正確な屈折率は、スペクトルの黄色部分、589nmで測定されます）。紫色の光（486nm）と赤い光（656nm）、それぞれの（同一面に光がはいった場合の）屈折率の差を測定したものが分散度となります。

パープル・フローライト――分散度：0.007。

比重：同じ密度の水と比較して、対象物の重さを割りだしたものが比重です。ホワイト・ジェイダイトのような比重の大きいジェムストーンを手に持つと、ホワイト・オパールといった比重の小さいものよりずっと重く感じるでしょう。

オパール――比重：1.98-2.20。

硬度：対称となる物質をこすって、その抵抗を見ます。硬い鉱物は、それよりも軟らかい鉱物に傷をつけることができるのです。硬度は、モース硬度を用いて測ります。モース硬度が示す硬度は以下のとおりです。タルク１、ジプサム２、カルサイト３、フローライト４、アパタイト５、オーソクレース６、クォーツ７、トパーズ８、コランダム９、ダイヤモンド10。

ダイヤモンド――硬度：10。

劈開：平面にそって割れる、鉱物生来の性向。このように破損する面は、原子の結合が弱い面（劈開面）と一致します。

断口：鉱物が、劈開面以外のラインにそって割れることです。断口は、貝殻状（湾曲していたり、「貝のような」破面）や、針状（破面がぎざぎざしている）、多片状、不平坦状などと表現されることもあります。

マラカイト――劈開：一方向に完全、他方向には明瞭。

光沢：鉱物が光を反射すること。透明鉱物には、ダイヤモンド（ダイヤモンドのような強い輝き）、ガラス（ガラスの破片を思わせる輝き）、樹脂（アンバーやプラスチックのような光沢）、絹糸、脂肪、土状、真珠と称される光沢が見られます。一方、金属もしくは亜金属光沢（金属光沢と、透明鉱物の有する光沢の中間の光沢）を有するのは、不透明鉱物です。

晶癖：立方体、腎臓状（腎臓のような形）など、鉱物の一般的な成長について言及したものです（p. 14を参照）。

パール――断口：不平坦状。光沢：真珠。晶癖：ラウンドからバロック。

ジェムストーン一覧

この一覧では、世界で最も美しいジェムストーンや、ジェムストーンになる鉱物、天然ガラス、有機質のジェムストーンを結晶系別に130種類、紹介していきましょう。それぞれ、天然のままの状態と、カットした形の両方が見られるようになっています。また、個々に特徴や用途も記し、専門的な特性についても、わかりやすくまとめてあります。

ジェムストーンになる鉱物は、美しい形、あるいはでこぼこした形の結晶として採掘されることもあれば、破片や、水の作用で摩耗した小さな塊のような状態で発見されることもありますが、そのいずれもが、素敵なジェムストーンへと姿を変えることができます。一方、溶岩が、結晶の晶出を待つことなく急速に冷却していくときにできるのが、オブシディアンのような天然ガラスです。また、有機質のジェムストーンには、海中微生物の化石であるコーラル、骨や歯とほぼ同じように成長する硬い生体組織から産出されるパールやシェルなどが含まれます。

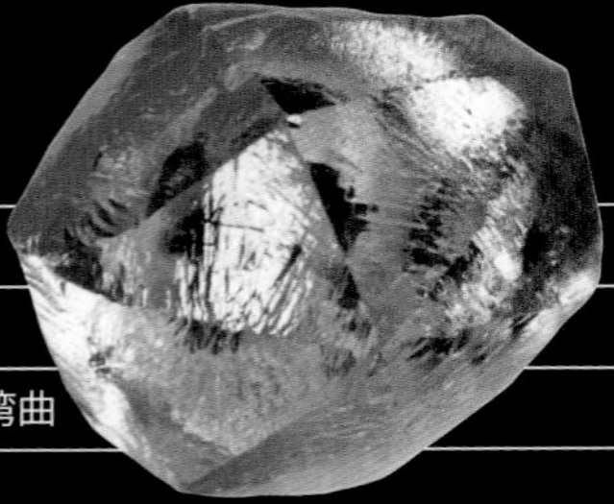

結晶系：立方晶系

化学組成：炭素

晶癖：八面体、立方体など。面はしばしば湾曲

屈折率：2.42

ダイヤモンドという名前は、「征服できない」という意味のギリシャ語"adamas"に由来します。その硬さゆえでしょう。ダイヤモンドは、地上で最も硬い鉱物であると同時に、みごとな光沢や秀でた屈折力、希少性、高い弾性から、最も高価なジェムストーンでもあります。

属性および特徴：ダイヤモンドは、無色のこともあれば、黄、茶、青、ピンク、緑、赤といった様々な色を帯びていることも珍しくありません。透明から半透明ですが、中には不透明なものもあります。品質を決めるのは、インクルージョンの種類と数で、最も一般的なインクルージョンはグラファイトです。ダイヤモンドは、地殻底部およびマントル内の高圧下で生成され、火成岩キンバーライトの管状鉱脈によって地表へと運ばれていきます。その耐久性ゆえに、漂砂鉱床から採掘されることもままあります。ダイヤモンドは、その外形を変えるための様々な処理が可能です。加熱、加圧、ときには照射といった処理を行って、ある種の色やその色調を際立たせたり、あるいは逆に色を抜くこともあります。人工ダイヤモンドも、1950年代からつくられています。

カット、セッティング、価値：宝石として用いられるダイヤモンドの多くに、インクルージョンや割れといったクラリティ特徴が見られます。ダイヤモンドの場合、グレーディング・レポートというシステムが導入されていて、透明度や色、カット、重さを基準に評価します。最も人気があるのは無色透明のダイヤモンドですが、ほとんどのものには、通常素人目にはわからないものの、わずかに色（たいていは黄か茶）が入っています。最近人気がでてきているのが、明るいイエロー・ダイヤモンドです。黄や茶、灰色がかった石より、無色透明のダイヤモンドのほうがはるかに高価ですが、鮮やかな色を有する「ファンシーカラー・ダイヤモンド」も高値をつけています。カットの形状は、ブリリアント、スクエアタイプのラディアント、プリンセス、クッション、ペア、ハート、マーキース、ブリオレットなどです。ブリリアント・カットのダイヤモンドは、しばしば指輪の中石に使用されます。

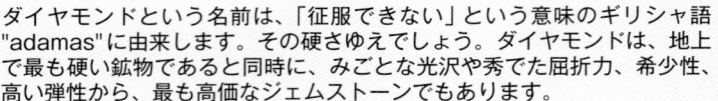

複屈折：	なし
分散度：	0.044
比重：	3.52
硬度：	10
劈開：	四方向に完全
断口：	貝殻状
光沢：	ダイヤモンドから脂肪
主要産地：	南アフリカ、ボツワナ、ナミビア、そのほか多くのアフリカ諸国、インド、ブラジル、ベネズエラ、ロシア、オーストラリア、インドネシア、カナダ、米国アーカンソー州
色：	淡黄、茶、灰色はもとより、白、青、黒、ピンク、赤、紫、オレンジ、緑、そして無色も

ダイヤモンド

パイロープ
ガーネット

分類：珪酸塩鉱物（ネソ珪酸塩）

結晶系：立方晶系

化学組成：マグネシウムとアルミニウムの珪酸塩

晶癖：十二面体もしくは偏菱二十四面体結晶

パイロープは、「炎のような」という意のギリシャ語に由来する名です。ガーネットの一種で、概して赤い色をしています。ガーネット内での認知度は低いものの、ジェムストーンとしては広く用いられています。分光器なしではアルマンディンと区別しづらいものの、傷やインクルージョンの少ないほうが、通常はパイロープです。（ダイヤモンドの管状鉱脈同様）火山性の管状鉱脈から産出する、クロム含有率の高い種類は、クロム・パイロープです。

属性および特徴：ほぼすべてのパイロープが、オリビンや、ときにはダイヤモンドも含む超塩基性の火成岩から生成します。こうした火成岩が変質した場合や、マグネシウムを豊富に有する岩から産出するのが、変性のパイロープです。アルマンディンとパイロープは、パイロープ内で鉄とマグネシウムの置換が見られるものをすべてさします。実際、純度100パーセントのパイロープは自然界にほとんど存在せず、アルマンディンとパイロープの大半が、両者の混ざったもの、としてとおっているのです。両者の中間の存在である石は、ロードライトと称される種類のもので、深い赤紫色をしています。また、パイロープとアルマンディンとスペサルタイトの中間タイプは、マダガスカル産の珍しいカラーチェンジ・ガーネットで、ある種の照明のもとでは青に変色します。

カット、セッティング、価値：パイロープの赤い色には非常に深みがあり、「アントヒル・ガーネット」——アリ塚のガーネットと称されるほど小さな粒状で産出します。そのため、1カラットをこえる大きさで、（ミックス・あるいはブリリアント・カットといった）ファセット加工されるジェムストーンはまれです。2～3カラット以上の石ともなれば、このうえなく高価になります。米国や南アフリカ産のパイロープは、ボヘミア産のものに比べて色が明るいのが特徴です。明るく、鮮やかな色あいの石のほうが、暗いものよりも値がはります。したがって、最も高いパイロープは、淡いピンクや赤、鮮やかな赤、紫、ピンクです。ドラ・マイラ岩体の非常に明るいピンクのパイロープは、粉々にされてしまうことがままあり、大きな石の形で産出することはめったにありません。

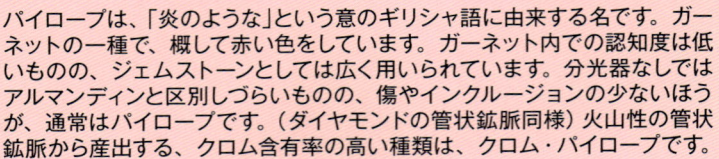

屈折率：	1.715-1.75
複屈折：	なし
分散度：	0.022
比重：	3.51-3.80
硬度：	7-7.5
劈開：	なし
断口：	貝殻状
光沢：	脂肪からガラス
主要産地：	チェコ共和国ボヘミア、イタリアのドラ・マイラ岩体をはじめとする欧州各地、米国アリゾナ州、南アフリカ、オーストラリア、タンザニア、ブラジル
色：	濃赤、ごくまれに無色からピンク

パイロープ

分類：珪酸塩鉱物（ネソ珪酸塩）

結晶系：立方晶系

化学組成：マンガンとアルミニウムの珪酸塩

晶癖：十二面体もしくは偏菱二十四面体結晶

このガーネットは、最初に発見された地、ドイツにあるシュペッサルトの森にちなんで名づけられています。1990年代初頭、ナミビアで鮮やかなオレンジ色の石が発見されますが（この色ゆえにナミビアでは、マンダリン・ガーネットとして知られるようになりました）、それまで、ジュエリーに用いられているスペサルタイトはあまり見かけませんでした。けれどその後、このジェムストーンの有する卓越した硬度と、高い屈折率ならではの光沢によって、ジュエリーへの需要が一気に増えていくのです。

属性および特徴：ほかのガーネット同様、スペサルタイトも必ず、ほかの種との混合という形で産出します。スペサルタイトの含有率が最も高いジェムストーンは、やわらかなオレンジ色をしている一方、アルマンディンの含有率のほうが高いものは、赤みを帯びたオレンジからえび茶といった色を有します。スペサルタイトにオレンジ色を付与している主な元素はマンガンです。鉄の含有率が増えるにつれ、色は濃くなったり、赤みが強くなってきます。羽毛やレースのようなインクルージョンが見られることもあるでしょう。変成岩および火成岩の双方から発見されます。

カット、セッティング、価値：スペサルタイトはほかの大半のガーネットに比べて認知度が低く、通常、透明で、上質なジェムストーンの見本のような形で出回ることはありません。ナミビアの貴重なマンダリン・ガーネットは、入手困難になって以降、高値がついています。それ以外に高価なスペサルタイトといえば、オレンジがかった、鮮やかな赤い色のものでしょう。こうしたスペサルタイトは、もともと米国カリフォルニア州のラモナやバージニア州のアメリア・コートハウスから産出していましたが、現在はさらにパキスタンやナイジェリア、ブラジルも産出源となっています。スペサルタイトは、ファセットかカボションにカットされるのが普通です。

屈折率：	1.79-1.81
複屈折：	なし
分散度：	0.027
比重：	4.12-4.20
硬度：	7-7.5
劈開：	なし
断口：	亜貝殻状
光沢：	ガラス
主要産地：	パキスタン、オーストラリア、スリランカ、米国、スウェーデン、ミャンマー、ブラジル、ナミビア、中国、ナイジェリア
色：	赤、赤みを帯びたオレンジ、鮮やかなオレンジ、黄みを帯びた茶、えび茶、茶

スペサルタイト

アルマンディン
ガーネット

分類：珪酸塩鉱物（ネソ珪酸塩）

結晶系：立方晶系

化学組成：鉄とアルミニウムの珪酸塩

晶癖：十二面体もしくは偏菱二十四面体結晶

アルマンディンは最も広く出回っているガーネットで、通常はガーネットの結晶片岩（変成岩の一種で、平坦な層から産出し、マイカを主成分とする）から採掘されます。ガーネットにしては珍しく、星の形に光を反射します（アステリズム）。アルマンディンという名前は、トルコの都市アラバンダに由来するものです。

属性および特徴：純度100パーセントのアルマンディンとパイロープは希少で、ほとんどのものが両者の中間的存在です。両者は、その密度の違いから見わけることができます（アルマンディンの比重が約4.3にたいして、パイロープは3.6前後しかありません）。色の濃さは、鉄のレベルに応じて極端に変わります。鉄をマグネシウムと置換すればするほど、石はパイロープに似ていきます。アルマンディンはみごとな光沢を有していますが、どんなに透きとおった石でも、色の濃さゆえに、その透明度には限界があります。

カット、セッティング、価値：アルマンディンは希少性に欠けるため（世界のいたるところで発見されます）、価値は低くなっています。大きな結晶もあるのですが、濃い色調ゆえに、小さいか、せいぜい中サイズのジェムストーンしか、ファセット加工はされません。こうした石は、光をとおすことを考慮して、浅くカットされます。アイダホやインド産のルチル・インクルージョンを伴ったアルマンディン・ガーネットは、適切なカットを施すことで、アステリズムの見られる石に生まれ変わることがままあり、コレクターに高く評価されます。色の濃いアルマンディンはしばしば、カボション・カットされたうえで、より光をとおすようにと底面をくりぬかれます。ローズ・カットが用いられることも。特に昔は、このカッティングが人気を博していました。今日では、透明度が高い場合はさらにファセット・カットが、そしてときにはスクエアか、レクタンギュラー・ステップ・カットが用いられることもあります。数カラットもあるジェムストーンも珍しくありません。

屈折率：	1.78-1.83
複屈折：	なし
分散度：	0.027
比重：	3.95-4.25
硬度：	7-7.5
劈開：	なし
断口：	貝殻状
光沢：	ガラス
主要産地：	米国アラスカ州、ドイツ、ノルウェー、インド
色：	赤から茶、ときに紫がかった赤、濃い暗赤色

アルマンディン

ウバロバイト
ガーネット

分類：珪酸塩鉱物（ネソ珪酸塩）

結晶系：立方晶系

化学組成：カルシウムとクロムの珪酸塩

晶癖：十二面体もしくは偏菱二十四面体結晶

ウバロバイトは、小さな結晶の集晶として産出する、緑色のガーネットです。その名前は、セント・ピーターズバーグ・アカデミーの校長であり、鉱物コレクターでもあったロシアの貴族セルゲイ・ウラロフ伯爵（1765-1855）に由来します。このジェムストーンは、ガーネットの中でも最も希少な種の1つです。含有しているクロムが、この特徴ある鮮やかな濃い緑をもたらしています。ウバロバイトの最大の産地は、今でも変わらずロシアのウラル山脈です。フィンランドや南アフリカ、カリフォルニア州など、ウラル山脈に次ぐ産地でも、上質のジェムストーンが採掘できますが、最も美しい、最上のものはやはりロシア産でしょう。フィンランド産は、大きな塊や群晶の形で産出することがまれにあり、コレクター垂涎の的となっています。フィンランド産の最も上質なジェムストーンは、オウトクンプの銅山で発見されています。

属性および特徴：結晶は通常不透明で、良質なものは最上のエメラルドに似ています。ウバロバイトの鉱物標本がコレクターから珍重されているのは、そのすばらしい色と光沢ゆえです。ガーネットの中でもカルシウム豊富な種の1つであり、二酸化珪素豊富な石灰岩が変化するときに生成します。クロム鉄鉱や蛇紋石に付着した状態で発見されることが少なからずあります。また、ミャンマーで採掘される鮮やかな緑色の石マウシッシから産出することも。こうしたウバロバイトとときに間違われる（あるいはウバロバイトと誤表示される）のが、クロム含有率の高いグロッシュラやツァボライト、デマントイド（アンドラダイト）です。

カット、セッティング、価値：この美しい緑の鉱物は、小さな不透明の結晶として産出しますが、まれに、ファセット・カット可能な大きさを有する、透明な部分が見られることがあります。昨今の多くの展示会では、母岩に付着した皮膜状の小さな結晶を目にできます。それがこの石に新たな魅力をもたらしているのです。この皮膜状の結晶は、多くの現代的なデザイナーによって、希少ジュエリーに加工されています。1カラットをこえる、ファセット加工を施されたものは、非常に希少です。

屈折率：	1.87
複屈折：	なし
分散度：	測定値なし
比重：	3.77
硬度：	7.5
劈開：	なし
断口：	貝殻状
光沢：	ガラス
主要産地：	ロシア、カリフォルニア州、南アフリカ、フィンランド、ミャンマー
色：	緑

ウバロバイト

グロッシュラ
ガーネット

分類：珪酸塩鉱物（ネソ珪酸塩）

結晶系：立方晶系

化学組成：カルシウムとアルミニウムの珪酸塩

晶癖：十二面体もしくは偏菱二十四面体結晶、しばしば成長累帯を示す

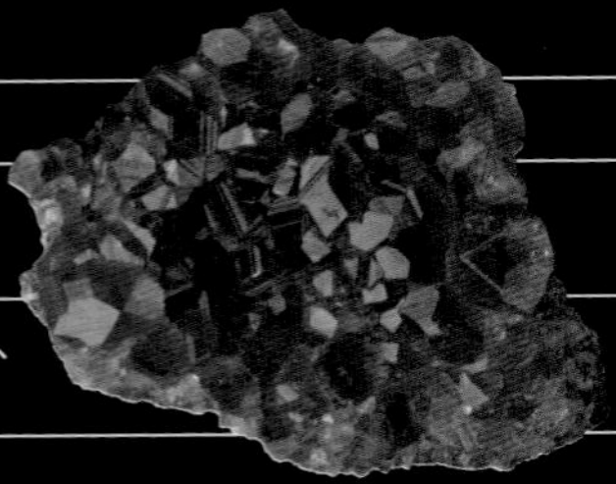

このガーネットの名前は、"grossularia"という言葉からきています。これはセイヨウスグリの学名で、このセイヨウスグリと、最初に発見されたグロッシュラ・ガーネットはともに、よく似た鮮やかな黄緑色を有しているのです。ほかの主だったガーネットと違い、赤いグロッシュラや、色の濃いグロッシュラはめったにありません。

属性および特徴：黄、茶、緑、オレンジがかった茶、ラズベリー・レッド、ピンクと様々な色を帯びるのは、鉄、マンガン、クロム、バナジウム、チタンといった元素が少しずつ集まっているからです。こうした元素が欠けていると、無色または白いグロッシュラになります。丸または卵形をしたインクルージョンが普通に見られるグロッシュラ・ガーネットも、数種類あります。ヘッソナイトという名前で呼ばれているのは、濃い黄色から茶色といった色調のグロッシュラ・ガーネット。一方ツァボライトは緑色のグロッシュラで、この色はバナジウムの混入ゆえに見られるものです。グロッシュラ・ガーネットにはほかにも、無色のリューコ・ガーネットや、鮮やかなピンクの「ラズベリー・ガーネット」などがあります。また、水を含んでいるものも見られ、これはジェードに似た大きな塊で産出し、「ウォーターメロン・ガーネット」もしくは「トランスバール・ジェード」として知られています（本物のジェードではありません）。

カット、セッティング、価値：色はオレンジが最も一般的で、オレンジ色をしたグロッシュラの結晶は、多くのコレクターに高く評価されています。逆に極めて希少なのが、無色のグロッシュラライトです。グロッシュラ・ガーネットは、ほとんどの場合ファセット加工が施されますが、中にはビーズ・カットされるものもあります。

屈折率：	1.739-1.748
複屈折：	なし
分散度：	0.027
比重：	3.57-3.65
硬度：	7-7.5
劈開：	なし
断口：	亜貝殻状
光沢：	ガラスから樹脂
主要産地：	カナダのアスベストスおよびケベック州、メキシコ、ケニア、イタリア、パキスタン、ロシア、スリランカ
色：	無色、黄、オレンジ、緑、赤、ピンク、シナモン・ブラウン

グロッシュラ

ヘッソナイト
グロッシュラ・ガーネット

分類：珪酸塩鉱物（ネソ珪酸塩）

結晶系：立方晶系

化学組成：カルシウムとアルミニウムの珪酸塩

晶癖：十二面体もしくは偏菱二十四面体結晶、通常丸い小石状で発見される

ヘッソナイトという名前は、「劣った」という意味のギリシャ語"hesson"からきています。この石が、ほかの主だったガーネットに比べて、硬度も密度も劣っていると信じられていたことを暗に示しているといえるでしょう。特徴のある色はジルコンと似ており、そのためしばしば混同されます。違いの１つは比重です（約3.65のヘッソナイトにたいして、ジルコンは4.6から4.8程度）。グロッシュラ·ガーネットのヘッソナイトは、そのシナモンを彷彿とさせる色から、「シナモン・ストーン」と呼ばれることもあります。

属性および特徴：ヘッソナイトに含まれる鉄とマンガンはともに少量です。この含有量の違いが、深いえび茶からオレンジ、ピンクがかったオレンジ、淡いハニー・イエローといった豊かな色調をもたらしています。最も上質なヘッソナイト・ガーネットはスリランカ産のもので、変成岩、宝石砂礫層、砂地から産出します。ヘッソナイトの外見には、「糖蜜状」あるいは「スコッチの水割り」といった表現が用いられますが、これは渦巻きを思わせるインクルージョンゆえです。ヘッソナイトは、その珍しい粒状の構造から、カット時でさえそれと認識されることが珍しくありません。この独特な構造が、この石を、小さな粒の結合体のように見せているのです。

カット、セッティング、価値：ヘッソナイトは珍しいものではありませんが、市場でしばしば目にするものでもありません。かつてはかなり需要もあったのですが、茶色が勝ちすぎ、透明度も不十分なため、現在人気を得るのは難しいでしょう。ジュエリーに用いられるヘッソナイトは、黄色とオレンジの色あいのものだけです。昔は、カットといえばほぼラウンドかカボションと決まっていましたが、20世紀半ばには、上部はブリリアントで下部はステップというカッティングが広く採用されるようになっていました。

屈折率：	1.742-1.748
複屈折：	なし
分散度：	0.027
比重：	約3.65
硬度：	7-7.5
劈開：	なし
断口：	貝殻状から不平坦状
光沢：	ガラスから樹脂
主要産地：	スリランカ、ブラジル、カリフォルニア州
色：	赤、茶、オレンジ、金

ヘッソナイト

ツァボライト
グロッシュラ・ガーネット

分類：珪酸塩鉱物（ネソ珪酸塩）

結晶系：立方晶系

化学組成：カルシウムとアルミニウムの珪酸塩

晶癖：十二面体もしくは偏菱二十四面体結晶

ツァボライトは、最初に発見された地、ケニアとタンザニアの国境近くに位置するツァボ国立公園から名づけられています。バナジウムに起因する緑色を帯びた、グロッシュラライトの変種です。ツァボライトの鉱床はほとんどが小さく、鉱脈も不規則で、結晶はしばしば、ほかの鉱物の中にあり、まるで「サヤの中の豆」のようです。

属性および特徴：このグロッシュラ・ガーネットが産出するのはモザンビーク帯——高純度の変成岩からなる地層で、全長約5000キロメートル、モザンビークの南南東からアフリカの東海岸まで、タンザニア、ケニア、エチオピア、スーダンの各国をとおってのびています。このモザンビーク帯の岩石は、火山岩と大昔（先カンブリア時代）の堆積物、さらには、様々な変成の段階をへて、本来の性質が変わってしまった貫入岩が混合しています。

カット、セッティング、価値：このジェムストーンは現代の市場で人気があり、高値をつけています。その持って生まれた濃い色ゆえに、ファセット加工された石はほとんどが3カラット以下ですが、最大のものは15カラットになります。とはいえ、通常発見されるジェムストーンは、1カラット以下です。ツァボライトの人気の理由は、その希少で美しい色にあります。わずかに青みがかった緑色の石は、えてして高い人気を博し、黄色っぽいものは需要も少なくなってきます。注目を浴びているのは、エメラルド・カットです。しかしながら、ツァボライトはエメラルドよりも屈折率が高く、分散度も2倍以上あるため、さらなる光沢を付与するために、ブリリアント・カットのほうが広く用いられています。ツァボライトは珍しく、それゆえに値もはります。

屈折率：	1.739-1.744
複屈折：	なし
分散度：	0.027
比重：	3.57-3.65
硬度：	7-7.5
劈開：	なし
断口：	貝殻状から不平坦状
光沢：	ガラス
主要産地：	ケニア、タンザニア
色：	薄緑から濃緑もしくは青みを帯びた緑

アンドラダイト

ガーネット

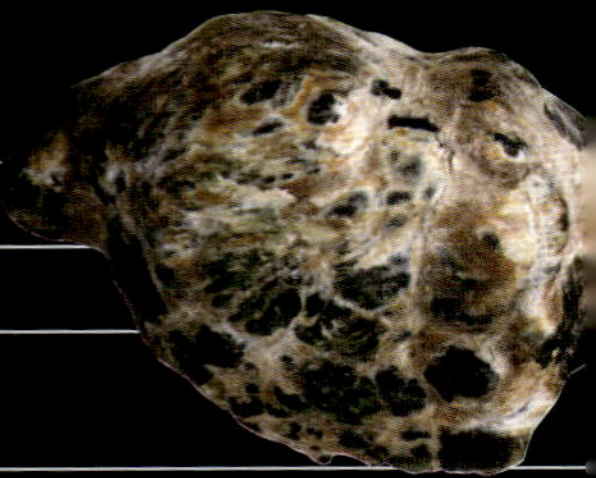

分類：珪酸塩鉱物（ネソ珪酸塩）

結晶系：立方晶系

化学組成：カルシウムと鉄の珪酸塩

晶癖：十二面体もしくは偏菱二十四面体結晶、しばしば成長累帯を示す

アンドラダイトは、ポルトガルの鉱物学者ホセ・ボニファシオ・ドゥ・アンドラダ・イ・シルヴァ（1763-1838）をたたえて命名されました。最も人気の高いガーネットの１つです。ごく小さな鉱床からしか採掘されません。アンドラダイト・ガーネットには、カルシウムと鉄が含まれています。黄色いアンドラダイトはトパゾライトと呼ばれ、鮮やかな緑色のものは、業界ではデマントイドという名前でとおっています。メラナイトは、アンドラダイト・ガーネットの中でもチタンの豊富な種で、黒い色（まれに暗赤色）をしています。最も一般的な色——茶色のアンドラダイトは、ファセット加工を施されたり、ジュエリーとして利用されることはまれです。数は少ないものの、表面に虹色の光沢を有するアンドラダイトも発見されます。この希少石の産地はメキシコと日本です。

属性および特徴：アンドラダイトの分散度は、ほかのガーネットの中でも群を抜いて高く、ダイヤモンドもおよびません。通常はその濃い色調に隠れていますが、小さくて淡い色の上質なカットのジェムストーンなら、ファイアがはっきりと見てとれます。アンドラダイト・ガーネットの中で最も高価なのがデマントイドです。最上のものは、ロシアにあるウラル山脈の金を含んだ漂砂鉱床、さらには変成層からも産出しますが、そのほかの良質な産地は、ナミビアとイランだけです。デマントイドの色調は、クロムの含有量に応じて、ごく淡い緑からミディアム・グリーンにまで変化します。ロシア（やほかの産地）から採掘されるものには、「ホーステール（馬の尾）」といわれる特徴的なインクルージョンがあります。

カット、セッティング、価値：透明な緑色の種は、その高い分散度から、デマントイドと称されます。ときには「ダイヤモンドのよう」とも。ファセット加工を施した、２カラットをこえるデマントイドのジェムストーンは非常に希少です。トパゾライト・ガーネットのジェムストーンとしての質は、デマントイドのそれに充分匹敵しますが、非常に小さいため、ジュエリーには適しません。ファセット加工を施した、２～３カラット以上の大きさを有するジェムストーンは、希少です。

屈折率：	1.888-1.889（緑）
複屈折：	なし
分散度：	0.057
比重：	3.82-3.85（緑）
硬度：	6.5
劈開：	なし
断口：	貝殻状
光沢：	ガラスからダイヤモンド
主要産地：	イタリア、メキシコ、日本、ロシアのウラル山脈、米国カリフォルニアおよびアリゾナ州
色：	鮮やかな緑、黒、黄みを帯びた茶、赤、黄緑、灰色

分類：硫化鉱物

結晶系：立方晶系

化学組成：硫化鉄

晶癖：立方体、五角十二面体、八面体など

パイライトという名前は、「火打ち石」を意味するギリシャ語の"pyrites lithos"に由来します。この名前が示すように、パイライトを鋼で叩くと、火花が散るのです。またその色から、「愚か者の金」という名でも知られています。最もよく目にする鉱物で、鉄の含有率の高さが特徴です。けれど、同様に含まれている硫黄のために、採掘されても、鉄の主要供給源として活用されたことはこれまでに一度もありません。パイライトはしばしば、化学組成が同じで結晶構造が異なるマーカサイトと混同されます。

属性および特徴：パイライトは最もよく知られた硫化鉱物で、あらゆる種類の岩石から大量に産出します。実際、鉱物を採収できる可能性のあるほぼすべての環境で発見されているのです。しばしば、多くの様々な金属鉱石と結合し、堆積岩内に凝固体を形成します。こうした現象は、石炭や粘板岩、そのほかの変成岩内でも頻繁に見られます。緑がかった黒い条線があって、電気をとおし、加熱されると微電流が発生します。化学組成が同じマーカサイトとの区別は結晶構造が決め手です。マーカサイトの斜方結晶にたいし、パイライトは等軸結晶になります。

カット、セッティング、価値：自然界に大量に存在するため、硫黄の鉱石を形成できるほどの膨大な量、という点をのぞけば、パイライトそのものにはほとんど価値がありません。けれど、どの鉱物にもいえることですが、鑑賞にたえる、華やかさを有した標本は、非常に貴重な存在です。実際、観賞用にカットされたパイライトはとても美しく、かつてはとても人気があり、ブレスレットやブローチ、スカーフピン、タイピン、そしてときには指輪にも用いられていました。現代の装飾に用いる場合には、ポリッシングを施してのち、カボション・カットする、というのが最も一般的なカッティング・パターンです。また、鮮やかな光沢を際立たせるため、ファセット加工が施されることもありますが、これらの用途は通常、小さなアクセント・ストーンであり、しかもマーカサイトとして販売されています。

屈折率：	不明
複屈折：	なし
分散度：	なし
比重：	4.85-4.90
硬度：	6-6.5
劈開：	不明瞭
断口：	不平坦状、ときに貝殻状
光沢：	金属
主要産地：	米国イリノイおよびミズーリ州、ペルー、スペイン
色：	淡真鍮黄色

パイライト

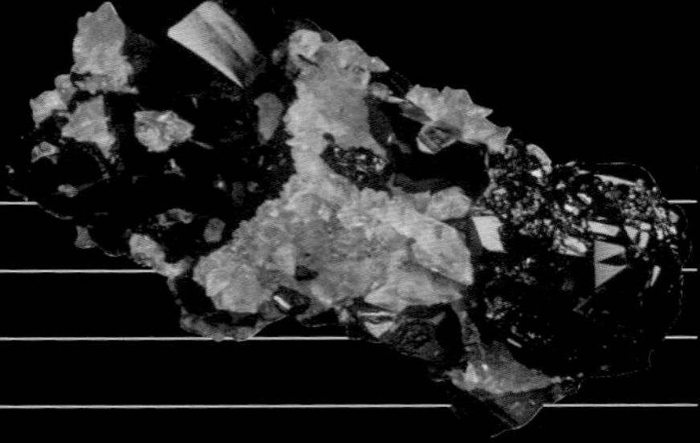

分類：硫化鉱物

結晶系：立方晶系

化学組成：硫化亜鉛

晶癖：四面体、十二面体、塊状

軟らかくて割れやすいスファレライトは、ブレンドという名前でも知られ、幅広い色調で産出しますが、最も一般的なのは、赤みを帯びたもの、オレンジ、黄、そして茶色がかった色あいのものです。スファレライトの名前は、「当てにならない」という意味のギリシャ語から、そしてブレンドは「目をくらませる」あるいは「あざむく」という意味のドイツ語からきています。これは、鉛の含有率が高いガレナに似ていながら、まったく鉛を含んでいないためです。鉄の含有量が高くなるにつれて色も濃くなります。不透明な金属結晶は、マルマタイトと称されるもので、スファレライトは、ガレナやアカンサイト、テトラヘッドライトといった、ほかの貴重な金属鉱物と混同されることがままあります。

属性および特徴：色の濃いスファレライトは、極めて強い金属光沢を発することがありますが、通常は、樹脂光沢またはダイヤモンド光沢と記されます。四面体あるいは十二面体結晶で産出するのが一般的ですが、粒状または塊状で発見されることもあります。十二面体に顕著な劈開があり、慎重にカットすれば、十二面を有する美しい結晶を割りだすことができるでしょう。紫外線下ではオレンジ色の蛍光を発するものもあり、ナイフで軽く叩くだけで、トリボルミネッセンスを示し、オレンジ色の閃光を発することもあります。軽くこすると、スファレライトは硫黄のにおいがします。

カット、セッティング、価値：この鉱物はほとんどの場合、限りなく黒に近い色をしていますが、ごくまれに、オレンジや、黄色がかった茶色の透明なものが発見されることがあり、その場合はコレクション用にカットされます。緑や黄緑、青みを帯びた緑、無色透明のスファレライトは希少です。非常に高い屈折率と分散度を有する鉱物ゆえに、巧みなカッティングが施されたジェムストーンは、本当にきらびやかです。その硬度（モース硬度3.5- 4）と六方向に完全な劈開を有していることから、スファレライトはほとんどのジュエリーには適しません。

屈折率：	2.37
複屈折：	なし
分散度：	0.156
比重：	4.09
硬度：	3.5-4
劈開：	六方向に完全
断口：	貝殻状
光沢：	金属から樹脂
主要産地：	スペイン、ブルガリア、メキシコ、イタリア、ペルー、中国、さらに米国ミズーリ州ジョプリン、イリノイ州ロジクレア、テネシー州エルムウッド、そしてオーストラリアのブロークンヒル
色：	黄、オレンジ、赤、緑、茶、黒

スファレライト

スピネル

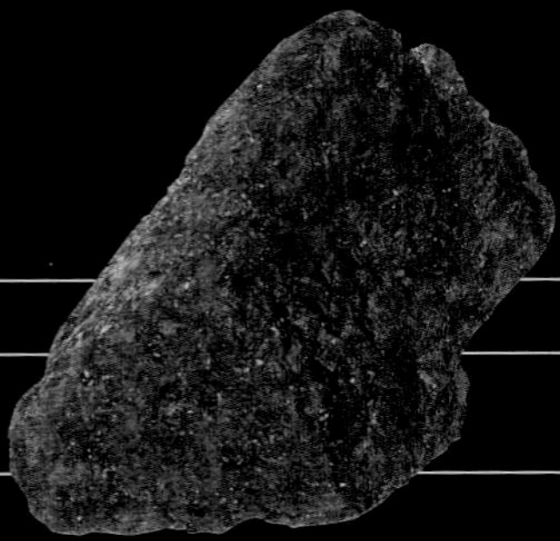

分類：酸化鉱物

結晶系：立方晶系

化学組成：アルミニウムとマグネシウムの酸化物

晶癖：八面体あるいは三角板状双晶

スピネルの赤はルビーのそれに匹敵します。実際、多くの名だたるルビーが、実はスピネルだったのです。両者は化学組成も似ていて、スピネルはアルミニウムとマグネシウムの酸化物、ルビーは酸化アルミニウムです。が、1587年にミャンマー（当時のビルマ）ではじめて発見されたスピネルは当初、ほかのジェムストーンと混同されることなく、別個のものとしてきちんと認識されていました。スピネルの名は、「小さなトゲ」の意のイタリア語およびトゲを意味するラテン語に由来し、その特徴である八面体結晶の先端が鋭いことを暗に物語っています。

属性および特徴：スピネルという名は、スピネルそのものおよび、ガーナイト、ヘルシナイトなど同族鉱物のグループ名でもあります。色鮮やかなジェムストーンのもとの鉱物は、大半がスピネルですが、濃色の場合は、ほかの種類の可能性もあります。スピネルは、それが形成される変成岩の主要鉱床からも採掘されますが、大半は沖積鉱床か砂鉱床から産出します。他色鉱物ゆえに、不純物が一切含まれていなければ無色透明であり、微量元素の含有によってはじめて色を帯びてきます。スピネルにとってのこうした微量元素は鉄、クロム、マンガンで、鮮やかなブルー・スピネルの場合はコバルトです。ルチルのインクルージョンがあれば、6条か4条の美しいスター効果が見られます。

カット、セッティング、価値：上質な天然のスピネルは希少ですが、広く注目を集めるようになってきたのはごく最近です。ときに非常に大きな塊で発見されます。群を抜いて多く出回っている（それゆえ最も価値も低い）色は、淡い色調からミディアムな感じまでのモーブピンクと、灰色がかった薄紫です。最も価値が高いのは、赤から紫赤色と、コバルト・ブルーです。ミャンマー産も、一段と高値がついています。その高い硬度ゆえに、（指輪を含む）ほぼすべてのジュエリーに適しています。通常のカットは、ブリリアント、クッション、ステップ、ミックス、カボションです。火炎溶融法による合成スピネルは非常に入手しやすく、フラックス（溶剤）法によるものは、天然のものと区別がつかないことがよくあります。

屈折率：	1.712-1.80
複屈折：	なし
分散度：	0.020
比重：	3.58-4.06
硬度：	7.5-8.0
劈開：	なし
断口：	貝殻状
光沢：	ガラス
主要産地：	ミャンマー、スリランカ、ブラジル、ベトナム、アフガニスタン
色：	主に赤だが、ピンク、無色、青、紫、緑、茶、黒も

フローライト

分類：ハロゲン化鉱物

結晶系：立方晶系

化学組成：フッ化カルシウム

晶癖：立方体と八面体が、
様々な晶癖の中で最も多い

フローライトは軟らかくて傷がつきやすく、四方向に完全な劈開を有しているため、概してジュエリーには適していません。けれどコレクターの人気は高く、巧みなカットが施され、ポリッシングされれば、きらびやかで魅力的なジェムストーンになる可能性を秘めています。かつて坑夫たちからフロースパーと呼ばれていたフローライトは、長いあいだ、彫刻や飾り物に使われてきました。より大きな市場を対象に、ファセット加工が施されるようになってきたのは、ごく最近です。ラテン語の"fluere"(「流れる」の意)からきている名前が物語っているように、フローライトは簡単に溶け、工業用の鉄鋼生産に便利な融剤になれる特質を有しています。

属性および特徴：紫、青、緑、黄、無色、茶、ピンク、黒、赤みを帯びたオレンジをはじめとする、フローライトの多彩な色調は珍しいもので、これほど多くの色が見られるのは、ほかにクォーツしかありません。たいていの結晶は単色ですが、複数の色が層をなしているものもあり、そのような結晶の魅力を損なわないよう、塊のままや、層をいかしたアレンジがされることがままあります。またフローライトは、長波紫外線下ではしばしば蛍光を発し、多種多様な蛍光色が見られます。通常の蛍光は青から紫ですが、緑や白、茶といった蛍光色も存在します。

カット、セッティング、価値：無色のものより有色のほうが人気があります。需要が高いのは、希少色のピンク、赤みを帯びたオレンジ、そして黒です。最も流通しているのが紫で、意外にもこの色は人気の面でも群を抜いています。クッション、ステップ、ミックスが最もよく用いられるカットですが、カメオ・カットも施されます。ファセット加工を施したマルチカラーのフローライトも人気です。ピンク色の天然石の中には、日光を浴びるとすぐに色あせてしまうものもあります。合成フローライトもありますが、めったに見られません。

屈折率：	1.43
複屈折：	なし
分散度：	0.007
比重：	3.18
硬度：	4
劈開：	四方向に完全
断口：	不規則でもろい
光沢：	ガラス
主要産地：	スイス、米国、メキシコ、イギリス、中国、アルゼンチン、ナミビア
色：	紫、青、緑、あるいは黄。無色透明や赤みを帯びたオレンジ、ピンク、白、茶もある（1つの結晶が何色も有することも）

フローライト

ソーダライト

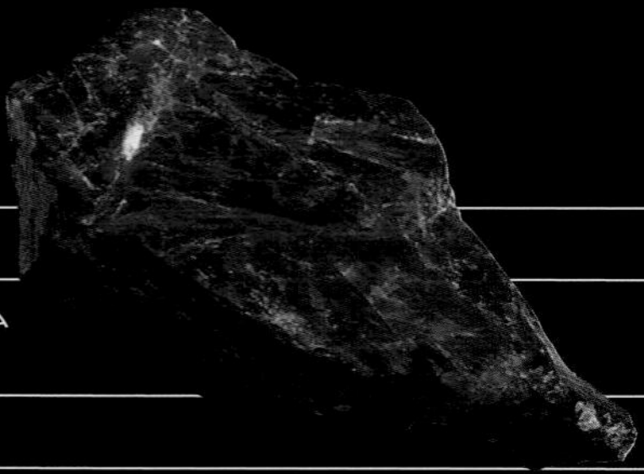

分類：珪酸塩鉱物（テクト珪酸塩）

結晶系：立方晶系

化学組成：ナトリウムとアルミニウムと塩素の珪酸塩

晶癖：塊状、まれに十二面体

ソーダライトはフェルドスパソイドの一種で、フェルドスパーに似たテクト珪酸塩鉱物グループの１つですが、フェルドスパーとは化学組成が異なり、二酸化珪素含有量もずっと少なくなっています。希少で特異な火成岩から産出します。ソーダライトという名前は、ナトリウム含有を示唆したものです。1806年にグリーンランドではじめて発見されましたが､装飾用の石材としてその価値が認められるようになったのは1891年、カナダのオンタリオ州バンクロフトで、上質な巨大鉱床が発見されてからでした。ここで採掘されるソーダライトは、「プリンセス・ブルー」と称されることもあります。一説によればこれは、パトリシア妃がオンタリオ訪問後、モールバラ・ハウスの装飾にソーダライトを選んだことに由来しているそうです。

属性および特徴：ソーダライトとラピスラズリはほぼ同じ化学組成ですが、ラピスラズリが硫黄を有しているのにたいし、ソーダライトは塩素を含んでいます。色は青紫が有名なものの、灰色や黄、緑、ピンクなどもあり、白い筋やまだら入りも目にすることがあります。ハックマナイトとして知られ、ミャンマーでは質の高いジェムストーンとして発見されるピンクの変種は、鮮やかな蛍光を発します。また、光にたいして可逆的な敏感性も有しているため、日の光のもとでは白く色あせ、紫外線を浴びるとマゼンタ・ピンクに戻るのです。ソーダライトは通常、閃長岩および粗面岩から産出します。ブラジル、特にバイア州でも、ソーダライトの大きな鉱床が発見されています。

カット、セッティング、価値：半貴石市場で有名なソーダライトは、彫刻や鉱物標本、装飾用の石として用いられることがままあります。結晶は希少です。青い色が均一なものほどジュエリーに利用され、カボションやビーズ・カットが施されます。ファセット加工が施された、色のきれいなジェムストーンはとても美しいものの、透明度に欠けがちです。青い色が濃く、透明度も高い種は珍しく、相対的に値もはります。

屈折率：	1.48
複屈折：	なし
分散度：	0.018
比重：	2.15-2.35
硬度：	5.5-6
劈開：	微弱
断口：	不平坦状、貝殻状
光沢：	ガラスから脂肪
主要産地：	カナダ、米国、ミャンマー、ロシア、ブラジル、インド、ボリビア
色：	淡青紫色、白、ピンク、灰色、緑

アウイン

分類：珪酸塩鉱物（テクト珪酸塩）

結晶系：立方晶系

化学組成：複合珪酸塩

晶癖：小さな丸い結晶、または十二面体

アウイン、またの名をアウイナイトは、フランス結晶学の祖である鉱物学者ルネ＝ジュスト・アユイ（1743-1822）にちなんだ名前です。最初に発見されたのは1807年、イタリアにあるソンマ山のベスビオ溶岩の中からでした。この希少なジェムストーンを最もよく知らしめているのが、そのすばらしい青い色といえるでしょう。けれど、緑や灰色、赤、黄といった様々なほかの色を有する微細結晶も発見されることがあります。アウインは、ソーダライトやラズライト（ラピスラズリ）と同類です。

属性および特徴：アウインはフェルドスパソイドで、ソーダライト・グループに属する鉱物です。等軸晶系で晶出し、半透明でガラス質の結晶を形成します。通常は双晶で、その色調は、青から白や灰色まで、ピンクや黄、緑も含めて、実に様々です。無傷のジェムストーンはめったになく、普通は、かすかなものからはっきりしたものまで、様々な程度のインクルージョンが見られます。けれど、たとえインクルージョンがあっても、目の覚めるようなすばらしい色あいゆえに、その美しさが変わることはありません。

カット、セッティング、価値：アウインも、ここ数十年でずいぶんと市場に出回るようにはなってきたものの、やはり希少なジェムストーンです。１カラットに満たない大きさのものなら、値ははりますが、上質なものが手に入ります。ただし、もともとの石が基本的にとても小さいため、これ以上大きなジェムストーンはまず市販されません。小さなアウインは、その鮮やかな色を際立たせるために、概してブリリアント・カットが施されます。カッティングが難しく、アウインそのものも硬度が低いことから、通常、ファセット加工が施されるのは、コレクター用だけです。

屈折率：	1.494-1.50
複屈折：	なし
分散度：	低い
比重：	2.4
硬度：	5-6
劈開：	四方向に良好
断口：	貝殻状
光沢：	ガラスから脂肪
主要産地：	ドイツ（特にアイフェル）およびイタリア
色：	青、また白、灰色、黄、緑、ピンク、無色も

アウイン

ラズライト
ラピスラズリ

分類：珪酸塩鉱物（テクト珪酸塩）

結晶系：立方晶系

化学組成：複合珪酸塩

晶癖：十二面体結晶または立方体、塊状

ラピスラズリという名前は、「青」を意味するペルシャ語の"lazhward"と、「石」を意味するラテン語の"lapis"に由来します。独特の濃い色を有するこの万能の石は、6000年以上も前から人気を誇っています。ほぼラズライトからなっていますが、ホワイト・カルサイトと、ぱっと目を引く、パイライトによるメタリックな黄色い斑点も含みます。何世紀ものあいだ、唯一存在が知られていた鉱床はサリサング――アフガニスタンのバダフシャーン州の山峡にある鉱床だけでした。アフガニスタンの鉱山では、最も上質なラピスラズリの産出がつづいていますが、現在の政治情勢から、採掘は難しくなってきています。今日では、コロラド州やチリでも採掘されているものの、これらの地から産出するものにはしばしば、カルサイトが多量に含まれています。

属性および特徴：ラピスラズリは鉱物ではなく、15もの様々な鉱物からなる岩石です。変成岩ですが、物理的性質および組成は異なります。通常は、石灰岩の接触変成岩から産出します。ラピス内に含まれる主要鉱物はラズライト、ダイオプサイド、カルサイト、パイライトになります。ラズライトの目を見はるような青は、その化学組成の中核をなしている硫黄によるものです。サリサングでは、ラピスラズリは、白い大理石に覆われたレンズ帯や鉱脈から採掘されます。群青から薄青まで様々な色調があり、紫や、緑といった色あいを有するものもあります。

カット、セッティング、価値：ラピスラズリの価値は、ほぼ完全に色で決まり、青みまたは黒みを帯びた濃い紫の色調を有する、深く濃い青が最高級品となります。きめの細かい均質のものは、質の劣る石には見られない、なめらかなつややかさを有しています。カルサイトのインクルージョンがあると、ほとんどの場合価値がさがりますが、パイライトのインクルージョンが少し見られる場合には、逆に価値があがるのです。ラピスラズリは、ビーズおよびカボション・カットが用いられるか彫刻が施されるだけで、それ以外は象眼細工やモザイク画、そして（群青色が）絵画に利用されてきました。

屈折率：	1.502-1.522
複屈折：	なし
分散度：	低い
比重：	2.81-2.84（ラピスラズリの場合）
硬度：	5-5.5
劈開：	不完全
断口：	不平坦状
光沢：	ガラスから脂肪
主要産地：	アフガニスタン、ミャンマー、チリ、米国コロラド州、ロシアのシベリア
色：	群青

シェーライト

分類：タングステン酸塩鉱物

結晶系：正方晶系

化学組成：タングステン酸塩

晶癖：通常は両錐状の短結晶

シェーライトというのは、ドイツ系スウェーデン人の化学者であり薬剤師でもあったカール・ウィルヘルム・シェーレ（1742-1786）に由来する名前です。彼は1781年、シェーライトに酸化タングステンが含まれていることを立証しました。硬度が低いため、この鉱物にファセット加工が施されるのは、通常、コレクター用だけです。ブラジル、韓国、中国では、大きな結晶が発見されています。

属性および特徴：シェーライトはタングステン酸塩鉱物で、主要なタングステン鉱石です。短波紫外線下で明るい青（微量のモリブデンを含有している場合は、緑もしくは黄）の蛍光を発します。この特徴を手がかりに、探鉱者たちはシェーライトとほかの鉱物を見わけてきました。シェーライトは、無色から白、黄、オレンジ、焦げ茶の正方晶系結晶として産出します。大きな粒状結晶の場合も珍しくありません。シェーライトは、花崗岩ペグマタイトや、接触変成した岩石——それも特に花崗岩近くの石灰岩内から発見されます。また、石英脈内から採掘される場合もあります。

カット、セッティング、価値：形のいい結晶は常にコレクターの人気を集めていますし、いびつなものも、透明で、あきらかな傷がなければ、ジェムストーンとしてカットされます。けれど、透明な結晶からカットされたジェムストーンは脆弱です。非常に光沢があり、屈折率と分散度も高いことから、ダイヤモンドに匹敵する鮮やかなファイアが見られます。この10年ほどは中国の雪宝頂という山でも、そこにあるスズ・タングステン鉱脈から、最高品質のシェーライトが採掘されています。近年まで、シェーライトのジェムストーンは非常に珍しく、最大規模のコレクションの場でしか目にすることがありませんでした。けれど昨今は、様々な市場でこの美しい石が正当に評価されつつあり、それにともなって値段もさがってきています。とはいうものの、やはり依然として高価なジェムストーンではありますが。最も人気があるカットは、ステップ、ブリリアント、ミックスです。

屈折率：	1.918-1.934
複屈折：	0.016
分散度：	0.026
比重：	5.9-6.1
硬度：	4.5-5
劈開：	二方向に明瞭
断口：	亜貝殻状
光沢：	ガラスからダイヤモンド
主要産地：	ブラジル、メキシコ、朝鮮、中国
色：	黄金色、オレンジ、茶、無色

シェーライト

キャシテライト

分類：酸化鉱物

結晶系：正方晶系

化学組成：酸化スズ

晶癖：長短様々な両錐状

キャシテライトは酸化スズの鉱物で、通常は不透明ですが、透明なものもあります。光沢と、非常に多くの結晶面から、とても人気が高く、目を見はるばかりの美しさを有しています。名前の由来は、「スズ」を意味するギリシャ語の"kassiteros"、もしくはフェニキア語の"cassiterides"から。おそらく、かつてスズが産出したアイルランドとイギリスの島々と関係があるのでしょう。

属性および特徴：キャシテライトは、様々ある火成岩の中でも、マイナーな存在です。昨今のキャシテライトはそのほとんどが、風化粒子を含有する沖積層あるいは漂砂鉱床から産出します。最良の産出源はボリビアのスズ鉱で、熱水鉱脈から発見されます。中国のスズ・タングステン鉱でも、良質なものが得られます。現在、大半のキャシテライトが産出するのは、ロシアおよび極東――それも特にタイ、インドネシア、マレーシアの沖積層もしくは漂砂鉱床です。純度100パーセントのキャシテライト（中でもマレー半島産のもの）は、無色または白も珍しくありませんが、たいていは茶、ときには黒ということもあります。こうした色をもたらしているのが、鉄あるいはそのほかの微量元素の存在です。不透明なキャシテライトは、赤い色を有していることもあります。

カット、セッティング、価値：キャシテライトの硬度はクォーツに匹敵するため、ジェムストーンには珍しいカットが施されます。とはいえ、非常に割れやすいのも事実です。一般的なカットは、ブリリアントとミックスでしょう。えび茶の石は最も希少性が高いため、当然最高値になります。けれど、えび茶に限らず、有色石の中から高品質の結晶を探すのは至難の業です。1カラットをこえる良質なカットストーンも希少ですが、中国の鉱床が発見されたおかげで、入手しやすくなりました。

屈折率：	2.00-2.10
複屈折：	0.098
分散度：	0.071
比重：	6.95
硬度：	6.5
劈開：	二方向に不完全
断口：	亜貝殻状から不平坦状
光沢：	ダイヤモンドから脂肪
主要産地：	ボリビアのラ・パスおよびコルキリ地域、イギリスのコーンウォール、メキシコのドゥランゴ、マレーシア、インドネシア、ロシア、タイ、中国
色：	紫、ワインカラー、黒、えび茶、あるいは黄

キャシテライト

スキャポライト
マリアライト・メイオナイト系列

分類：珪酸塩鉱物（テクト珪酸塩）

結晶系：正方晶系

化学組成：複合珪酸塩

晶癖：低角錐柱状結晶

スキャポライトは、「棒」や「槍の柄」を意味するギリシャ語の"scapos"と、「石」の意の"lithos"からきている名前です。この鉱物は主として、塊状あるいは細長い柱状結晶の形で発見されます。スキャポライトはまた、ドイツ人地質学者A・G・ウェルナー（1749-1817）に敬意を表して、ウェルネライトという名前で呼ばれることもあります。スキャポライトのジェムストーンが最初に発見されたのは1913年、ミャンマー北部に位置するモゴク・ストーン・トラクトです。ここでは、キャッツアイを含め、白やピンク、黄みを帯びたもの、あるいは紫といった高品質の石が発見されています。

属性および特徴：スキャポライトはアルミニウムの珪酸塩で、正方晶系で晶出します。結晶は、よく変成岩から発見されます。黄、紫、そして無色のジェムストーンが最も一般的です。ファセット加工を施したスキャポライトとクォーツには、宝石学的な特性において多数の共通点があるため、両者を見わけるのは非常に難しいといえるでしょう。けれどスキャポライトは、最も強い蛍光および燐光を発する鉱物の１つです。短波紫外線下に数分置いておくだけで、６時間以上も燐光を発しつづけます。テネブレッセンス（可逆的光互変性）は、日光によって刺激を受け、色が変化する現象をいいます。無色のスキャポライトの中には、紫外線（太陽光に含まれる光成分）下で色が大きく変わるものがあり、きれいな濃いミディアム・ブルーになりますが、残念ながら永続はしません。暗色鉱物のインクルージョンがよく見られます。

カット、セッティング、価値：透明度の低いスキャポライトですが、カボション・カットを施せば、たいていはキャッツアイの効果を前面に押しだすことができます。キャッツアイがあまり目立たない場合には、オパールのように遊色効果をいかすといいでしょう（p. 266参照）。無色のスキャポライトは、有色のものほど一般的ではありません。無色のものはほとんどの場合、ブリリアントもしくはステップ·カットが施されます。

屈折率：	1.540-1.577
複屈折：	0.009-0.020
分散度：	0.017
比重：	2.60-2.71
硬度：	6
劈開：	多方向に明瞭
断口：	亜貝殻状から不平坦状
光沢：	ガラスから樹脂
主要産地：	アフガニスタン、ブラジル、マダガスカル、タンザニア、ミャンマー
色：	ピンク、紫、青、黄、灰色、無色、また赤褐色のキャッツアイも

スキャポライト

分類：酸化鉱物

結晶系：正方晶系

化学組成：酸化チタン

晶癖：両錐柱状

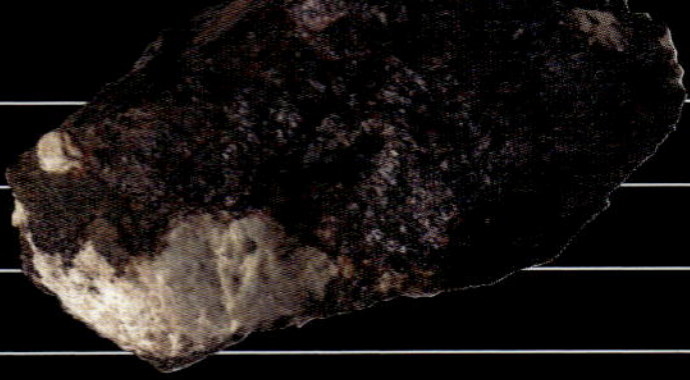

ルチルは（高い屈折率と分散度ゆえに）ことのほかファイアが強く、ダイヤモンドのそれをもしのぎますが、せっかくのきらめきも、黒や赤、あるいは茶といった色に覆われてしまいがちです。ルチルの名前は、ラテン語"rutilus"に由来します。これは、「赤みを帯びた」という意味で、ルチルの最も一般的な色を象徴しているといえるでしょう。以前は、わざわざポリッシング加工を施して、その黒っぽい色を際立たせていました。それが、喪服用のアンティーク・ジュエリーの定番だったのです。

属性および特徴：二酸化チタンは、３種の鉱物として天然に産出しますが、そのうちの１つがルチルです。後期火成岩の一次鉱物として発見されるルチルはまた、砂鉱床や海浜砂の二次鉱物でもあります。これは、チタナイトやマイカといった、チタンを含む鉱物の分解に起因しています。クォーツやトルマリン、ルビー、サファイアといったジェムストーンに見られるルチルの微小インクルージョンは、シャトヤンシー（キャッツアイ効果）やアステリズム（ジェムストーン表面に複数の線条が現れるスター効果）といった美しい光の特殊効果をもたらしてくれるでしょう。現在、最高品質のルチルが産出しているのはブラジルのミナスジェライス州ですが、米国および中国でも発見されています。

カット、セッティング、価値：透明なクォーツの中に、金色の針のようなルチルのインクルージョンをたくさん有する美しいジェムストーンを、ルチル・クォーツといいます（p. 102「インクルージョン・クォーツ」の項参照）。「ビーナスの髪」や「キューピッドの矢」と呼ばれることもあります。カットは通常カボションです。人気の高い半貴石で、彫刻にもよく用いられています。スリランカ産のキャッツアイ・ルチルは、カボション・カットが施されますが、無色の合成ルチルは、ダイヤモンドに似せるために、ブリリアント・カットが施されます。

屈折率：	2.62-2.90
複屈折：	0.287
分散度：	0.280
比重：	4.2+
硬度：	6-6.5
劈開：	二方向に良好
断口：	貝殻状から不平坦状
光沢：	ガラスから金属
主要産地：	ブラジルのミナスジェライス州、米国ジョージアおよびカリフォルニア州、スリランカ、中国
色：	大きな厚い結晶の場合は黒かえび茶、インクルージョンであれば黄金色か銀、合成なら通常は無色

ルチル

分類：珪酸塩鉱物（ネソ珪酸塩）

結晶系：正方晶系

化学組成：珪酸ジルコニウム

晶癖：両錐柱状

ジルコンといえば、無色でダイヤモンドのイミテーション、というのが最も有名ですが、実は様々な色を有して産出するのです。名前も、「金色」を意味するペルシャ語の"zargun"からきています。ジルコンは、宝石学的には２種類にわけられます。屈折率と複屈折の値が高いハイ・ジルコンと、実質的には等方晶系で、通常高い放射性を有するロー・ジルコンです。ジルコンは、人造ジェムストーンのキュービック・ジルコニア（酸化ジルコニウム）とはまったくの別物です。

属性および特徴：ジルコンは、珪酸ジルコニウムという化学組成の珪酸塩鉱物です。その高い屈折率と分散度から、ダイヤモンドに匹敵するファイアと輝きを有しています。酸性火成岩から広く産出する副成分鉱物です。砕屑堆積物や変成岩からも採掘されます。もろい鉱物なので、簡単に割れてしまいがちです。カッティングの前に多くの石が加熱処理され、通常は黄や青、あるいは無色へと色を変えられます。本来の色にはどうしてもばらつきが見られますが、加熱処理によってある程度の調整は可能です。加熱処理を施されて鮮やかなスカイ・ブルーになっても、長時間日光にさらされたために、色あせてしまう石もあります。茶と赤は通常、天然の色です。ロー・ジルコンは普通黄緑で、肉眼で成長累帯がしばしば確認でき、そのために「とろりとした」感じに見えます。

カット、セッティング、価値：ジルコンは珍しいものではなく、かなり手に入れやすい、魅力的なジェムストーンです。高い分散度と屈折率をいかして、通常はラウンド・ブリリアント・カットが施されます。クッション、ジルコン、バケット、ミックスといったカットも人気があります。最も高い評価を得ているのが、きれいなスカイ・ブルーやエレクトリック・ブルーの石で、次いで人気があるのが赤、オレンジ、緑、黄色の石です。ごく普通の青はかなり価値が低く、色が混ざっていたり、着色された石には、単色や天然の石と同じ値段はつきません。透明で、10カラットをこえる大きな石を目にすることはめったにないでしょう。

屈折率：	1.78-1.99
複屈折：	0-0.059
分散度：	0.039
比重：	3.95-4.8
硬度：	7-7.5
劈開：	二方向に不完全
断口：	貝殻状
光沢：	ガラスからダイヤモンド
主要産地：	スリランカ、ミャンマー、カンボジア、ベトナム、タイ、ノルウェー
色：	茶、赤、黄、緑、青、黒、無色

ジルコン

ベスビアナイト

分類：珪酸塩鉱物（ネソ珪酸塩）

結晶系：正方晶系

化学組成：含水カルシウムとマグネシウムとアルミニウムの珪酸塩

晶癖：短錐状または長錐柱状結晶

ベスビアナイトは1795年、ドイツの鉱物学者アブラハム・ゴットロープ・ウェルナー（1749-1817）により、最初に発見された地ベスビオ山にちなんで名づけられました。また、フランスの鉱物学者ルネ＝ジュスト・アユイ（1743-1822）が提唱した、アイドクレース（この結晶の見た目が混合鉱物を彷彿とさせることを示唆する、「混合した姿」の意のギリシャ語に由来）という名前で呼ばれることもあります。シプリンはベスビアナイトの青いものです（青い色は銅の混入によるもので、名前も、銅を表す古語"cyprium"からきています）。カリフォルナイトはベスビアナイトの小さな塊状の結晶で、ジェードに似ています。

属性および特徴：ベスビアナイトは緑、茶、黄、紫、あるいは青い珪酸塩鉱物で、主としてスカルン鉱床や接触変成石灰岩から、正方晶系結晶の形で産出します。カルシウム、マグネシウム、珪酸アルミニウムからなり、ベリリウムとフッ素を含有していることも珍しくありません。結晶構造は、立方晶系のグロッシュラ・ガーネットに似ています。「ウォーターメロン」ガーネットには、ピンクのハイドログロッシュラとともに、緑のベスビアナイトも含まれます（p. 34「グロッシュラ」の項参照）。

カット、セッティング、価値：ベスビアナイトは、非常に広く出回っている、均整のとれた鉱物で、鉱物コレクター用にカッティングされることがあります（ジュエリーへのカットはまれです）。カボション、ミックス、ステップ、ブリリアントといったカットが最も一般的ですが、ケベック産の小さな、ピンクがかった紫色の美しい結晶は、パキスタン産の透明なもの同様、ファセット加工が施されます。鮮やかな緑または茶で、透明もしくはきれいな半透明のものは、特にイタリア南部で、ジュエリーに用いられることがあります。ときにベスビアナイトの代替として利用されるのが、ペリドットとグリーン・ガーネットです。ベスビアナイトに比べ、比重が高く、色も鮮やかなのがペリドットで、ずっしりとして一段と硬いのがグリーン・ガーネットになります。

屈折率：	1.700-1.721
複屈折：	0-0.021
分散度：	0.019
比重：	3.32-3.47
硬度：	6.5
劈開：	微弱
断口：	亜貝殻状から不平坦状
光沢：	ガラスから樹脂
主要産地：	カナダのケベック州アスベストス、米国カリフォルニア州およびニュー・イングランド、イタリアのベスビオ山、ロシアのウラル山脈、スイス、パキスタン
色：	通常は緑だが、茶、黄、青、紫も

ベスビアナイト

タグツパイト

分類：珪酸塩鉱物（テクト珪酸塩）

結晶系：正方晶系

化学組成：ナトリウムとアルミニウムとベリリウムの珪酸塩化物

晶癖：通常はきれいな粒状か塊状

珍しく、魅力的な色の石タグツパイトは、極寒の地でのみ採掘されます。イヌイット語では"tuttupit"。「トナカイの血」という意味です。この「トナカイの石」がジェムストーンとして最初に発見されたのは1957年、グリーンランドはイリマウスサークのタグタップ・アグタコルフィアで、その後、この地にちなんで名づけられました。それ以外にも、これまでには、カナダのケベック州にあるモンサンチレールと、ロシアのコラ半島の２ヶ所だけではあるものの、タグツパイトが発見されています。けれど、ジェムストーンとして価値のある、深く豊かな色を有しているのは、グリーンランド産のものだけです。

属性および特徴：タグツパイトはナトリウムと、アルミニウム、ベリリウム、珪素、酸素、塩素からなり、非常に高い蛍光性が認められる鉱物です。太陽光にかざすと、淡い赤みは深みを増し、暗いところに置くと、再びやわらかな色あいに戻ります。イリマウスサーク山塊産のタグツパイトは、短波紫外線下ではくすんだ赤い蛍光を、長波紫外線下では淡いサーモン・オレンジの蛍光を放ちます。ほとんどのタグツパイトに見られるのがインクルジョーンです。この珍しい鉱物の結晶構造は、ソーダライトのそれととてもよく似ていて、ある種の特異な発光物質を生成する同じ母岩から発見されることもあります。タグツパイトは、アルカリ度の高い貫入火成岩から産出します。

カット、セッティング、価値：タグツパイトのジェムストーンは、塊状で産出するため、カットはほぼカボションになります。高値がついていますが、その理由が非常に強い蛍光性と鮮やかな色あいです。カボション・カットされたあとは、この石ならではの面白さである筋が見えることがままあります。ファセット加工を施された透明なジェムストーンは、半カラット以下のものがほとんどです。グリーンランド産のものは、ラフなジュエリーであれ鉱物のままであれ最も高い評価を得ていて、コレクター垂涎の的になっています。

屈折率：	1.492-1.502
複屈折：	0.006-0.008
分散度：	低い
比重：	2.30-2.57
硬度：	6.5
劈開：	明瞭
断口：	貝殻状
光沢：	ガラス
主要産地：	グリーンランド、ロシア、カナダ
色：	白、ピンクから深紅、まれに青または緑

エメラルド

ベリル

分類：珪酸塩（サイクロ珪酸塩）

結晶系：六方晶系

化学組成：ベリリウムとアルミニウムの珪酸塩

晶癖：上部が平坦な柱状、ときにトラピッチェ

エメラルドは、ベリルという鉱物の中で最も高価です。ギリシャ語"smaragdos"から古代フランス語"esmeralde"をへて、エメラルドという名に。意味はそのまま「緑のジェムストーン」です。ジェムストーン界でも、良質なエメラルドの鮮やかな緑に並ぶものはないでしょう。

属性および特徴：エメラルドの緑の誘因は、少量のクロムおよび（または）バナジウムです。ベリル・グループのほかのジェムストーンと違い、しばしばインクルージョンが見られますが、これはこの石の魅力の1つでもあり、買い手にたいして、この石の天然性を証明しているものでもあります。採掘源はほぼ硬岩で、その小さな岩脈やくぼみの内側に生成します。採掘の世界的な中心地はコロンビアです。その首都ボゴタの北に位置するムソー鉱山では、美しい深緑の上質な石が産出します。ブラジルでは、バイア、ゴイアス、ミナスジェライスの各州にある様々な鉱床から、注目すべき石が採掘されています。これらは通常、コロンビア産に比べて鮮やかさでは劣りますが、ほとんどのものに、一風変わったインクルージョンが見られるのです。さらに両国とも、珍しいエメラルドのキャッツアイが発見されています。ブラジルはまた、非常に希少性の高い、6条のスター効果を有するエメラルドの産地でもあります。コロンビア産のトラピッチェ・エメラルドには、黒い筋状のスター効果が見られますが、これは、母岩であるエメラルドの中に含まれているほかの鉱物の結晶です。

カット、セッティング、価値：インクルージョンゆえにほかのベリルよりも割れやすく、一段と慎重な取り扱いが必要です。最高品質の無処理の石（鑑別書つき）は、処理された石よりはるかに値がはります。最も人気の高い価値のある色は、適度な深みと強く鮮やかな彩度を有する、わずかに青みがかった緑です。最高品質を誇る大きな石は希少です。この石のために開発されたエメラルド・カットが最も多く用いられていますが、ペアおよびハート・シェイプ、ブリリアントなど、もともとある主だったカットも施されていますし、インクルージョンが多い場合には、カボションやビーズなどになります。

屈折率：	1.565-1.602
複屈折：	0.005-0.010
分散度：	0.014
比重：	2.67-2.78
硬度：	7.5-8
劈開：	一方向に微弱
断口：	貝殻状
光沢：	ガラス
主要産地：	コロンビア、ブラジル、ジンバブエ。それ以外にオーストラリア、オーストリア、インド、カナダ、エジプト、米国、ノルウェー、パキスタン、アフガニスタン、ロシアでも
色：	エメラルド・グリーン、緑、わずかに青みを帯びた緑

アクアマリン
ベリル

分類：珪酸塩（サイクロ珪酸塩）

結晶系：六方晶系

化学組成：ベリリウムとアルミニウムの珪酸塩

晶癖：柱状、錐面を有することも、全体にエッチングが見られることもある

アクアマリンは、透明または半透明のベリルで、その繊細な青またはターコイズといった色は、海の色を思わせます。実際、アクアマリンという名前も、「海の水」という意味のラテン語"aqua marina"からそのままきているのです。石の色は、ほぼ無色から海緑色までと幅広く、そのあいだには空色もあります。スペクトルのより青い石が、えてして最も人気があります。

属性および特徴：ブラジルのミナスジェライス州にある、ペグマタイト岩脈が豊富な鉱山地帯は、長年、ベリルをはじめ、数種類におよぶカラー・ジェムストーンの主要産地としての地位を維持しています。もちろんアクアマリンの大きな結晶も産出します。ジェムストーン品質の結晶は、最長1メートルにもなります。非の打ちどころもありません。この青い色は、結晶構造内に第一鉄の原子が含まれているためです。鉄イオンの場合は、黄色くなります。ピアウイ渓谷にあるマシシ鉱山から産出するアルカリ性の濃青ベリルは、マシシ・ベリルと呼ばれるもので、はじめて発見されたのは1917年です。天然色のマシシ・ベリルは耐光性が高いというのが通説ですが、昨今国際市場で目にするマシシ・ベリルの大半は、放射線照射によって人工的に着色されたもので、太陽光にさらすと色があせ、淡黄あるいは無色になってしまうことがままあります。

カット、セッティング、価値：最大、最上のアクアマリンは、大半がブラジル、アフガニスタン、あるいはパキスタン産です。抜けるような青が、最も価値ある色とされています。そのため、多くの石が加熱処理され、黄色みを取りのぞいて、より深みのある青へと加工されていくのです。アクアマリンは手ごろな価格といえるでしょう——たとえば、ブルー・トパーズよりは値がはるものの、エメラルドほど高くはありません。最も人気があるのはステップ・カット（エメラルド・カット）です。キャッツアイや、ときにはスター効果を有するものも発見されることがあり、その場合はカボション・カットが施されます。

屈折率：	1.567-1.590
複屈折：	0.005-0.008
分散度：	0.014
比重：	2.66-2.80
硬度：	7.5-8
劈開：	一方向に微弱
断口：	貝殻状から不平坦状
光沢：	ガラス
主要産地：	ブラジルのミナスジェライス州、米国コロラド州、マダガスカル、ナイジェリア、パキスタン、インド、アフガニスタン、ロシア、ザンビア
色：	青緑、緑をかんだ青、青

アクアマリン

ヘリオドール
ベリル

分類：珪酸塩（サイクロ珪酸塩）

結晶系：六方晶系

化学組成：ベリリウムとアルミニウムの珪酸塩

晶癖：柱状、錐面を有することも、全体にエッチングがみられることもある

ヘリオドールの色は鉄イオンによるものです。ギリシャ語の「太陽」を意味する"helios"と、「贈り物」の意の"doron"からこの名前がつきました。当初は、20世紀初頭に南西アフリカで採掘された、美しい金色のベリルのことを、ヘリオドールと呼んでいました。金色のベリルは、黄色のベリルとは異なり、より秀でている、との意味あいがあったためですが、のちにそれは誤りであると認められています。今日ヘリオドールといえば、黄色または金色のベリルをすべてさします。

属性および特徴：一口に黄色といっても、ヘリオドールのそれは非常に幅があり、とても淡いものからオレンジ、あるいはほぼ緑のものまでと様々です。ヘリオドールの色は、ベリルの化学組成に微量に混入した鉄によるもので、鉄の濃度と酸化状態に応じて、色は変わってきます。ヘリオドールの結晶は、独特な六角柱で、ジェムストーンの世界でも最大の結晶がいくつか発見されています。ファセット加工が施された最も大きいヘリオドール・ストーンは、2054カラットです。

カット、セッティング、価値：ヘリオドールは、ベリルの中でも比較的よく発見される種の1つで、値段も手ごろです。とはいえ、非の打ちどころのない大きな石はやはりかなり希少ですから、おのずと値段も高くなります。ベリルは様々な形にカットすることができます。現代のカッティング技術をもってすれば、コンケーブ・カットや、自然なエッチングを施したカット・ストーンも可能でしょう。中でも特にレクタンギュラーやスクエア・カットに適しています。こうしたカットは、石の透明度をさらに引きだし、その色を一段と際立たせてくれるのです。

屈折率：	1.567-1.590
複屈折：	0.005-0.008
分散度：	0.014
比重：	2.66-2.73
硬度：	7.5-8
劈開：	一方向に微弱
断口：	貝殻状
光沢：	ガラス
主要産地：	ロシア、ブラジル、マダガスカル、ナミビア、米国、ウクライナ
色：	黄から黄金

ヘリオドール

ゴシェナイト
ベリル

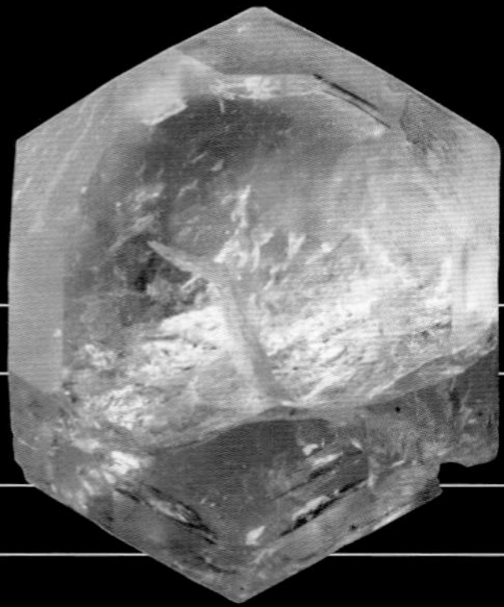

分類：珪酸塩（サイクロ珪酸塩）

結晶系：六方晶系

化学組成：ベリリウムとアルミニウムの珪酸塩

晶癖：板状結晶あるいは柱状

本来ゴシェナイトという名前は、マサチューセッツ州ハンプシャー郡ゴーシェンで発見された無色透明のベリルをさしますが、のちに、無色透明のベリルはすべて、ゴシェナイトと称されるようになりました。何世紀ものあいだ無色のベリルは、主にその高品質ゆえに、ほかの無色のジェムストーンの代替品として利用されてきました。ときに、ゴシェナイトの底面を銀や赤、緑といった箔で覆って「クローズド」セッティングにし、ダイヤモンドやルビー、エメラルドのイミテーションをつくることがあります。

属性および特徴：ゴシェナイトの産出量が最も多いのはロシアと北米ですが、それ以外にも世界中の様々な地で発見されています。ほかの大半のベリル同様、ゴシェナイトも非常に割れやすい石です。石が色を有するのは、その石に含まれるいくつかの微量元素によることがままあるため、無色のゴシェナイトは純度100パーセントだと思われているかもしれませんが、実はそうではありません。色をもたらさない微量元素もあるからです。ゴシェナイトは、ガンマ線を浴びると、（ヘリオドールに似た）橙黄色や（マシシのような）青に変わることがあります。とはいえその色も、太陽光の下では不変ではありません。

カット、セッティング、価値：ゴシェナイトは大きめの石でも、そこそこの値段で手に入ります。これはゴシェナイトに色がないためであり、ほかのベリルと比較した相対存在量のゆえです。けれど、芸術的なカットが施された、デザイン性の高いものや、完全に透明な石には、やはり高値がつきます。ゴシェナイトがジュエリーに広く用いられることはありません。通常のカットは、ブリリアントかステップかミックス･ファセットになります。インクルージョンや不純物の見られるゴシェナイトは普通、ジェムストーンに適しませんが、ほかの業界で利用されることはあり、インクルージョンが美しければ、ジェムストーン・コレクターの心を惹くでしょう。

屈折率：	1.566-1.600
複屈折：	0.005-0.009
分散度：	0.014
比重：	2.66-2.90
硬度：	7.5-8
劈開：	一方向に微弱
断口：	貝殻状
光沢：	ガラス
主要産地：	ロシア、メキシコ、ブラジル、カナダ、米国
色：	無色

ゴシェナイト

モルガナイト

ベリル

分類：珪酸塩（サイクロ珪酸塩）

結晶系：六方晶系

化学組成：ベリリウムとアルミニウムの珪酸塩

晶癖：錐面を有する板状結晶

モルガナイトは透明から半透明のピンク色をした、ベリルの宝石変種です。通常セシウムトリチウムを含有していますが、ピンク色の誘因はマンガンにあります。モルガナイトはしばしば加熱処理され、よりきれいなピンク色に加工されます。その美しさや価値を減ずる斑点なり、黄色っぽい色あいは、加熱処理によって除去されるのです。この鉱物の名前の由来となっているのは、米国の実業家にしてジェムストーン・コレクターでもあったJ・ピアモント・モルガン（1837-1913）で、彼は20世紀末まで、米国で最も有力なコレクターの1人でした。1911年、ティファニーの主席宝石鑑定人ジョージ・クンツは、新たに発見されたベリルのジェムストーンに、自身の最も大事な顧客にちなんだ名前をつけたのです。マダガスカル産の濃いオレンジがかったピンク色のモルガナイトは、今では新たな鉱物のペツォッタイトと考えられています。

属性および特徴：モルガナイトは、ピンク・ベリルやローズ・ベリルともいわれます。モルガナイトの場合、「ベール状」のものや、液体を含む長いチューブ状をはじめとするインクルージョンと同様、縞目もよく見られます。モルガナイトは短柱状、平板状で発見されることが多く、二色性を有します（ギリシャ語で「2色の」を意味するモルガナイトは、2つの異なる方向に振動する偏光下では、淡いピンクと、紫がかった濃いピンクに見えるのです）。今日このジェムストーンは、主にブラジル、マダガスカル、アフガニスタン、パキスタン、米国カリフォルニア州から採掘されます。

カット、セッティング、価値：モルガナイトは、ベリルの中でも高価な種に属し、ほぼすべての良質なピンク色のストーン同様に、高値がついています。かつては「ピンク・エメラルド」として売買するため、モルガナイト・ベリルの市場買い占めが意図されたこともありました。今日、エメラルドほど高くはないものの、コレクターには、上質のアクアマリンと同額程度を支払う覚悟はあるようです。一般的なカットといえば、ブリリアントとステップでしょう。モルガナイトの質を決する際、最も重要な特徴となるのが、その色と透明度になります。

屈折率：	1.572-1.600
複屈折：	0.008-0.009
分散度：	0.014
比重：	2.71-2.90
硬度：	7.5-8
劈開：	一方向に微弱
断口：	貝殻状
光沢：	ガラス
主要産地：	ブラジル、マダガスカル、パキスタン、モザンビーク、ナミビア、米国、アフガニスタン
色：	ピンク、ローズ、ピーチ

モルガナイト

レッド・ベリル

分類：珪酸塩（サイクロ珪酸塩）

結晶系：六方晶系

化学組成：ベリリウムとアルミニウムの珪酸塩

晶癖：上面の平らな柱状

レッド・ベリルはベリルの希少変種の１つです。これまで、ファセット加工に適した結晶は、米国ユタ州のビーバー郡近くにあるワー・ワー山脈でしか発見されていません。ただし、上質とはいいがたい結晶であれば、メキシコでも産出しています。ワー・ワー山脈では、1978年以降、レッド・ベリルの安定した採掘がつづいています。レッド・ベリルはビクスビアイトとしても知られています――この名前のもとになっているのは、アメリカの鉱物コレクター、メイナード・ビクスビー（1853-1935）です。1904年、はじめてこの鉱物を発見したのがビクスビーでした。

属性および特徴：レッド・ベリルは、流紋岩マグマが冷えて結晶化する際に放出される高温のガスまたは蒸気により、空洞部分や母岩（二酸化珪素の豊富な、白い火山性流紋岩）内の割れ目にそって生成すると考えられています。レッド・ベリルの結晶に、オレンジがかった赤から紫赤にまでわたる色調をもたらしているのは、岩石に含まれるマンガンです。これまでに発見された最大の結晶はおよそ54カラット、最大のカット・ストーンは８カラットほどになります。レッド・ベリルの色があせることはなく、熱や光にさらされても、その色は変わりません。

カット、セッティング、価値：レッド・ベリルは、世界で最も希少にして、垂涎の的となっているジェムストーンの１つです。同じベリル・グループに属するエメラルド同様、通常はインクルージョンが多く見られます。レッド・ベリルは珍しいもので人気も高いため、どのような大きさ、色、透明度であっても、ほぼすべての石にすぐ買い手がつきます。通常は、インクルージョンがほとんど見られない、ラズベリー・ピンクから、わずかに紫がかった赤までの石が最上質とされています。

屈折率：	1.564-1.574
複屈折：	0.004-0.008
分散度：	0.014
比重：	2.66-2.70
硬度：	7.5-8
劈開：	不明瞭
断口：	貝殻状から不平坦状
光沢：	ガラス
主要産地：	米国ユタ州のワー・ワー山脈
色：	オレンジがかった赤から紫赤

レッド・ベリル

アパタイト

分類： 燐酸塩鉱物

結晶系： 六方晶系

化学組成： カルシウムの燐酸塩

晶癖： 樽状の六角柱状

アパタイト・グループには、フッ素、塩素、水酸基の比率、あるいはカルシウムに代わるストロンチウムに応じて、異なる数種類の鉱物が属しています。最もジェムストーンに適したアパタイトはフローアパタイトで、今日鉱物学者がアパタイトと称しているのがこれになります。名前の由来は、「だます」を意味するギリシャ語の"apatao"からです。その主たる理由は、アパタイトが、オリビンやペリドット、ベリルといった、高価な緑色の鉱物に似ていることにあります。大きな鉱床が発見されているのは、メキシコ（ジェムストーンに適した黄緑の結晶）と、ロシアのコラ半島です。

属性および特徴：発見されるアパタイトの色調は様々で、それが、しばしばほかの鉱物と間違われる一因となっています。その色は、白、黄、緑、紫、青、茶、灰色などです。わずかに緑がかった、明るい青のアパタイト（通常はブラジル産）は、ネオン・アパタイトとも呼ばれています。黄色みを帯びた緑のものは「アスパラガス・ストーン」。これは、その特徴のある色からきている名称です。大きな結晶は、ペグマタイトや高温の熱水鉱脈内に生成します。また変成岩、それも特に変成石灰岩と変成スカルン内でも、さらに大きな結晶が見つかります。結晶は透明から半透明です。

カット、セッティング、価値：アパタイトはしばしば、色鮮やかなジェムストーンへとカットされますが、硬度が低いことから用途は限られ、値もはることはありません。指輪に用いられることがほとんどないのも、非常に傷つきやすいからです。最も貴重なジェムストーンは、紫のものになります。アパタイトは高値ではなく、例外は４カラットをこえる石だけですが、そもそもその大きさからして非常に希少といえるでしょう。繊維状組織を持つ青いアパタイトは、カボション・カットされることが珍しくありません。それ以外の一般的なカットは、バケット、ステップ、あるいはミックスになります。

屈折率：	1.63-1.655
複屈折：	0.002-0.006
分散度：	0.013
比重：	3.16-3.23
硬度：	5
劈開：	二方向に不明瞭
断口：	貝殻状
光沢：	ガラス
主要産地：	メキシコのドゥランゴ、ナミビア、マダガスカル、 カナダのオンタリオおよびケベック州、米国カリフォルニアおよび メイン州、ドイツ、ロシア、ブラジル
色：	通常は黄緑から緑、黄やネオン・ブルー、紫も

アパタイト

ターフェアイト

分類：酸化鉱物

結晶系：六方晶系

化学組成：ベリリウムとマグネシウムとアルミニウムの酸化物

晶癖：平らな錐体結晶

この希少で品のあるジェムストーンの名は、ターフェ伯爵（1898-1967）にちなんだものです。伯爵は1945年、ダブリンで購入したジェムストーンの中から、偶然この石を発見したのです。当初はスピネルと考えられていました（今でもよく間違われます）が、複屈折から、新たなジェムストーンと判明しました。次にこの石が発見されたのは、1949年——このときは、スリランカで見つかったほかのジェムストーンの一部として、産出しました。2002年以降、このジェムストーンは、鉱物学者のあいだではマグネシウムターフェアイト——2N'2Sとしてとおっています。なんの手も加えられていない結晶ではなく、いきなり、カットされたジェムストーンとして発見された唯一の鉱物です。

属性および特徴：ターフェアイトは、スピネルと間違えられることがよくありますが、両者は宝石学的な性質が非常によく似ています。最も基本的な違いは、複屈折が、ターフェアイトにのみあるという点です。またターフェアイトは、希少鉱物マスグラバイトともしばしば混同されます。カットされたものであれ、結晶のままであれ、ターフェアイトは大半がスリランカ産ですが、タンザニアとミャンマーでも、数は少ないながら、産出が報告されています。スリランカ産は通常、砂鉱床から（小石のような状態で）発見されるため、本来の母岩はわかりません。ほかの場所では、花崗岩、角閃岩、変成石灰岩から結晶が見つかっています。たとえば中国の場合、ターフェアイトの微細結晶は、花崗岩をともないドロマイト石灰岩から産出しているのです。ターフェアイトの色は、ほかの無機元素の存在に応じて様々に変わります。藤紫（淡い藤紫が最も一般的な色です）は、鉄によってもたらされ、紫や赤は、鉄の有無にかかわらず、クロムに由来しています。

カット、セッティング、価値：目下このジェムストーンは希少で、特に赤および青い石は非常に珍しいといえるでしょう。通常は、ブリリアントやクッション・カットが施されますが、重さを最重要視するために、「結晶の形をいかした」カッティングが施されることも多々あります。

屈折率：	1.716-1.728
複屈折：	0.004-0.006
分散度：	0.019
比重：	3.61-3.67
硬度：	8
劈開：	不明
断口：	貝殻状
光沢：	ガラス
主要産地：	スリランカ、ミャンマー、タンザニア
色：	藤紫、赤紫、茶色みを帯びた紫、ピンク、赤、青、無色

ターフェアイト

ベニトアイト

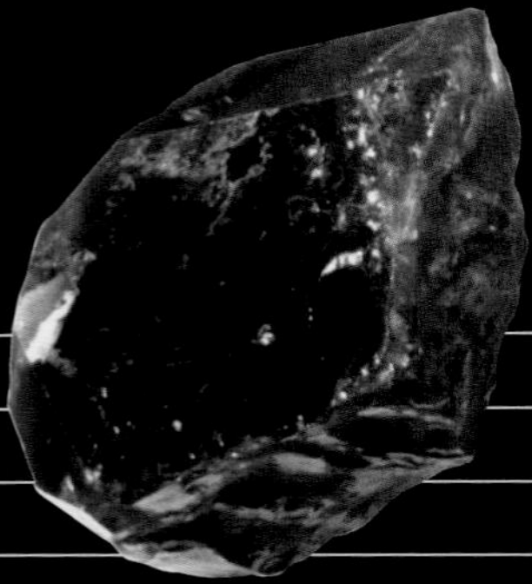

分類：珪酸塩鉱物（サイクロ珪酸塩）

結晶系：六方晶系

化学組成：バリウムとチタンの珪酸塩

晶癖：平板な三角錐または六角錐状

ベニトアイトは、通常青い色を有する、希少な珪酸塩鉱物で、熱水変成した蛇紋岩から見つかりました。1906年、カリフォルニア州サン・ベニート郡にあるディアブロ山脈の探鉱者によって、はじめて発見されます。そして1年後、カリフォルニア大学バークレー校の鉱物学者G・D・ローダーバック博士によって、新たな鉱物と認められたのです。博士は、この鉱物が「サン・ベニート郡を流れるサン・ベニート川の水源近くで発見された」ことから、ベニトアイトと名づけました。ベニトアイトの深い青は、最上質のサファイアにも匹敵します。とはいえ、見分けは簡単につきます。ベニトアイトは非常に高い複屈折（クォーツの5倍にもなります）と、明確な二色性を有しているからで、この二色性ゆえに、偏光下では、ある方向からは青に、べつの方向からは無色に見えてしまうのです。

属性および特徴：ベニトアイトは、あのダイヤモンドもおよばないほどの高い複屈折を有します。そのため、巧みにカットされた石は、驚くほどのきらめきを放つのです。ベニトアイトの青い色は、加熱や照射といったトリートメントによるものですが、結晶の無色部分は、加熱によりオレンジに変色してしまいます。またベニトアイトは、短波紫外線下では非常に強い蛍光性を発し、白亜質のとても鮮やかなスカイブルーに変わります。

カット、セッティング、価値：ベニトアイトは価値のあるジェムストーンであり、非常に希少です。ジェムストーンや原石への需要はとても高く、人気も右肩あがりです。半カラットの石も珍しいですが、1カラットをこえるものは、まず目にできないでしょう。また、その美しさにもかかわらず、ジュエリーに加工されたものもさほど見かけません。供給量の少なさと硬度の低さ、そしてかなりのもろさゆえに、ジュエリーへの利用が限られてくるからです。ジュエリー用に加工される場合には、よくブリリアントやクッション・カットが用いられます。最も濃い色をいかすために、テーブル・ファセットは、結晶の中心軸にたいして平行にカットされるケースがほとんどです。

屈折率：	1.757-1.804
複屈折：	0.047
分散度：	0.039-0.046
比重：	3.65-3.68
硬度：	6-6.5
劈開：	微弱、不明瞭
断口：	貝殻状
光沢：	ガラス
主要産地：	米国カリフォルニア州サン・ベニート郡
色：	青、青紫、無色

ローズクォーツ、スモーキークォーツ

分類：珪酸塩鉱物（テクト珪酸塩）

結晶系：三方晶系

化学組成：二酸化珪素

晶癖：通常は塊状、ときに微結晶（ローズクォーツ）；条線を有する双尖六角柱状（スモーキークォーツ）

たいていの自然環境で発見され、ほぼすべての岩石における重要な構成物質でもあるクォーツは、この地上で最も広く認知されている鉱物です。ローズクォーツは、クォーツの中でも特に魅力的な変種の１つで、常に人気があります。大きなクォーツのピンク色は、デュモルチェライトなどの内包鉱物によるもので、小さなローズクォーツ結晶の色は、アルミニウム、リン、放射能によるものです。ローズクォーツは、マダガスカル、インド、ブラジル、ドイツ、米国で発見されています。同族のスモーキークォーツも人気があります。茶から黒までの色調を有し、ブラジル、スイス、米国コロラド州などから産出します。

属性および特徴：クォーツのマクロ結晶（大きな結晶）変種には、認知度も高く、装飾用の石やジェムストーンとして人気を誇るものもあります。アメジストやシトリン、ミルククォーツ、プラシオライト（もえぎ色）、ロック・クリスタル、ローズクォーツ、スモーキークォーツなどです。一方、カルセドニーとして知られる潜晶質（顕微鏡でもほぼ不可視の極小結晶）変種も、ジェムストーンや置物用に利用されます。ローズクォーツにルチルが針状にはいっていれば、アステリズム（星彩効果）がはっきりと認められることもあり、すばらしいジェムストーンになるでしょう。

カット、セッティング、価値：通常ローズクォーツはくもりがあって、ジェムストーンへのカットにはむきませんが、質のいいものであれば、透明度も高く、色も鮮やかですから、すばらしいジェムストーンができあがります。ほとんどのローズクォーツは、カボション・カットが施されます。カボションであれば、透明度は色あいほどには重視されないからです。スモーキークォーツはときに、特殊なファセット・カットが施されることがあります。とはいえ、茶色いジェムストーンにはさほど需要がないため、市場は限られています。スモーキークォーツはむしろ置物用の石としての人気が高く、またこの石からはしばしば、球、ピラミッド、オベリスク、エッグ（卵型）、小像、凝った装飾の像などが彫られています。いぶしたような色あいは、照射によって得られることもあります。

屈折率：	1.544-1.553
複屈折：	0.009
分散度：	0.013
比重：	2.65
硬度：	7
劈開：	なし
断口：	貝殻状から不平坦状
光沢：	ガラス
主要産地：	ブラジル、マダガスカル、スリランカ、米国メイン州
色：	オレンジがかったピンクから紫がかったピンク（ローズクォーツ）；黄褐色から灰色がかった茶あるいは焦げ茶（スモーキークォーツ）

ローズクォーツ、スモーキークォーツ

ロック・クリスタル
クォーツ

分類：珪酸塩鉱物（テクト珪酸塩）

結晶系：三方晶系

化学組成：二酸化珪素

晶癖：条線を有する双尖六角柱状

ロック・クリスタルは、無色透明のクォーツです。「氷」を意味するギリシャ語の"krystallos"から命名されました。何千年も前からジェムストーンとして用いられ、装飾品や、宗教上大切な品として、彫られたり、磨かれたりしてきたのです。「水晶玉」とも称される、磨きあげられたクリスタルの球は、中世のころ、占いに使われました。

属性および特徴：ロック・クリスタルは、石英脈内で最も頻繁に発見されます。がま（鉱脈瘤）といわれる、鉱脈中の小空洞で結晶化するのです。ペグマタイト岩脈でもよく産出します。ロック・クリスタルにはしばしば、ほかの鉱物のインクルージョンが見られますが、こうしたインクルージョンのあるものからも、装飾用の石がつくられ、それらもまた、非常に高い評価を得ています（p. 102「インクルージョン・クォーツ」の項を参照）。最も大きい単結晶はブラジル産で、重量も100トンと最大です。

カット、セッティング、価値：前述したように大きな結晶が入手可能なことから、ロック・クリスタルのジェムストーンや彫刻の価値は、そのカッティングや加工の巧みさによって決まってきます。ロック・クリスタルそのものはさほど派手なものでもなく、過度に高価なわけではありません。インクルージョンのない大きな結晶は彫刻家に好まれ、新人彫刻家の「練習用の石」としてよく利用されます。また、貴重な石というには、ファイアも色も不十分ですが、だからといって、それがロック・クリスタル本来の美しさを損なうわけではありません。カットしやすく、手ごろでもあるため、ほとんどの良質なコレクションに見られ、愛でられています。カットは、ビーズ、ブリリアント、ステップが最も一般的です。彫刻が施された骨董品もまた、非常に手に入れやすいといえるでしょう。

屈折率：	1.544-1.553
複屈折：	0.009
分散度：	0.013
比重：	2.65
硬度：	7
劈開：	菱面体方向にごくまれに見られる
断口：	貝殻状
光沢：	ガラス
主要産地：	米国アーカンソー州、スイスの聖ゴトハルト山、ブラジル、マダガスカル、ミャンマー、そのほか各地
色：	無色

分類：珪酸塩鉱物（テクト珪酸塩）

結晶系：三方晶系

化学組成：二酸化珪素

晶癖：条線を有する双尖六角柱状

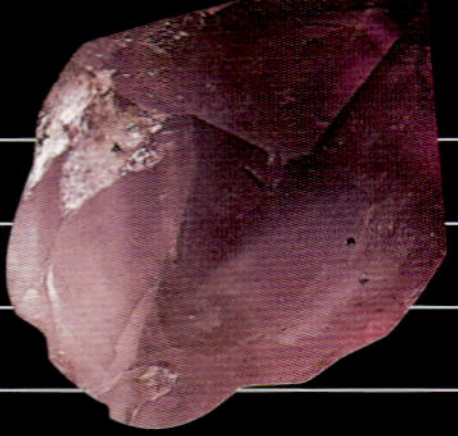

アメジストはクォーツの変種で、ピンクがかった淡い藤紫から、すみれ色や、濃く黒っぽい色、赤紫までと、様々な紫で産出します。こうした紫のほかにアメジストは、もう１、２色、赤や（または）青が見えるのが普通です。アメジストという名前は、古代ギリシャ語で「否定」を意味する"a-"と、「酔わせる」という意の"methustos"に由来します。これは、アメジストのゴブレットでワインを飲んでも酔えないといういいつたえに言及したものです。

属性および特徴：当初アメジストの色は、マンガンによるものだと信じられていました。けれど今では、微量の鉄イオンの存在と、放射能による損傷のためであることがわかっています。アメジストは加熱処理されると、同類のシトリンを思わせる黄色に変色するのです。シトリンおよびアメジストの天然の色をあわせ持つ結晶は、アメトリンといわれます。ブラジルのリオグランデ・ド・スル州と隣国ウルグアイで大量に産出します。こうした地のアメジストは、巨大なジオード（堆積岩やある種の火山岩内に見られる晶洞）から採掘されます。ザンビアもまた、重要な産地になります。産地が異なることで、その地域、さらにはその鉱山ならではのアメジストが採掘できるのです。

カット、セッティング、価値：かつてはダイヤモンドやルビー、エメラルドと並ぶ最も貴重なジェムストーンの１つと見なされていたアメジストですが、1700年代以降、その価値はさがってしまいました。ブラジルをはじめとする各地で、大規模な鉱床が発見されたからです。結晶内のそこここに色が分散していることがままあるため、その色を最大限にいかすべく、ブリリアント･ラウンド･カットがしばしば用いられます。ファセット･カット（色が均等にでている場合は、バケット、ミックス、ステップ、ブリリアント）、カボション、カービング、ビーズといったカットもよく目にするでしょう。

屈折率：	1.544-1.553
複屈折：	0.009
分散度：	0.013
比重：	2.65
硬度：	7
劈開：	菱面体方向にごくまれに見られる
断口：	貝殻状
光沢：	ガラス
主要産地：	ブラジル、ウルグアイ、インド、南アフリカ、ナミビア、マダガスカル、ザンビア、メキシコ、カナダ、ロシア、ボリビア
色：	すみれ色から紫

アメジスト

シトリン
クォーツ

分類：珪酸塩鉱物（テクト珪酸塩）

結晶系：三方晶系

化学組成：二酸化珪素

晶癖：条線を有する双尖六角柱状

シトリンはクォーツの透明変種で、珪酸塩鉱物グループの仲間です。トパーズに似ていることから人気が高く、美しい黄色がかった茶色は珍重されています。希少なジェムストーンであるため、アメジストやスモーキクォーツといった、ほかの、より入手しやすい石を処理して、シトリンを思わせる黄色に変色させることがよくあります。シトリンという名前の由来は、「レモン」を意味するフランス語の"citron"です。

属性および特徴：シトリンは微量の鉄イオン（黄色の誘因）を有しています。天然産は希少です。天然シトリンの主要産地はブラジルで、大半がリオグランデ・ド・スル州から産出します。加熱処理されたシトリンの色は、天然石の淡黄に比べてはるかに濃いことが多く、オレンジや赤といった色あいも帯びています。

カット、セッティング、価値：最も人気の高い、加熱処理された石は、鮮やかな明るい黄色がかった赤から茶褐色のもので、最上質の石は、ブラジルおよびマダガスカル産です。大きなジェムストーンも、手ごろな価格が設定されています。ブリリアント、ステップ、カボションなどが一般的なカットです。石の有するすばらしい反射性をいかすために、チェッカーボード・ファセット・カットが用いられることが多々あります。アメジストとシトリン双方の色を有するアメトリンに通常施されるのは、レクタンギュラー・ファセット・カットです。また、２色をきちんと取りいれ、どの角度から見ても動きがあり、２色が織りなす美しい模様がいかされるようにカッティングされることもあります。こうしたことも、この石が彫刻家や、完成品をさらに美しいものにしあげられる創意に富んだ細工師から、人気を得ている理由の１つなのです。

屈折率：	1.544-1.553
複屈折：	0.009
分散度：	0.013
比重：	2.65
硬度：	7
劈開：	菱面体方向にごくまれに見られる
断口：	貝殻状
光沢：	ガラス
主要産地：	ブラジル、マダガスカル、コンゴ
色：	黄、金

シトリン

分類：珪酸塩鉱物（テクト珪酸塩）

結晶系：三方晶系

化学組成：二酸化珪素

晶癖：通常は塊状

アベンチュリンの特徴は、半透明であることと、ほかの鉱物の細片結晶のインクルージョンで、このインクルージョンによって、アベンチュレッセンスといわれる、キラキラと輝く効果が得られます。クォーツの1種です。鉱床は、ブラジル、インド、オーストリア、ロシア、タンザニアで発見されています。世界中に出回っているアベンチュリンの大半がインド産です。名前は、「偶然」を意味するイタリア語の熟語"per aventura"に由来します。またアベンチュリンは、天然のものが発見される前に、同等のものが人造された唯一のジェムストーンともいわれているのです。これは、17世紀にイタリアのガラス職人が、うっかり銅のかけらを溶けたガラスの中に落としてしまったことから偶然発見された、との話からきています。このときつくられたものはのちに、アベンチュリン・ガラスや「ゴールド・ストーン」と呼ばれるようになりました。見た目は天然のアベンチュリンに似ていますが、性質はまったく異なります。

属性および特徴：アベンチュリン・クォーツは、実はクォーザイトといわれる岩で、鉱物ではありません。クォーザイトは、結晶水晶の大きな粒からなっています。岩に色を付与しているのは、ほかの鉱物の粒です。アベンチュリンは、ほとんどの場合緑ですが、オレンジや茶、黄、灰色、青も珍しくありません。最もよく見られるインクルージョンがフックサイト（マスコバイトの深緑の変種）で、これがメタリック・グリーンやブルーのきらめきをもたらしているのです。オレンジや茶は通常、ヘマタイト、ゲーサイト、あるいはパイライトによって付加されます。フックサイトの含有率が高くなると、不透明になる場合があります。また、その際にはしばしば縞模様も見られます。

カット、セッティング、価値：最も価値があるのは、きらめく内包物が皆無かごくわずかの、非常にグレードの高いグリーン・アベンチュリンです。ほとんどが彫刻されてビーズや小像になり、最上のものだけが、カボション・カットを施されて、ジュエリーに加工されます。多孔性物質ゆえに非常に染色しやすく、不自然な色が多く出回っています。

屈折率：	1.55（スポット法）
複屈折：	0.009
分散度：	0.013
比重：	2.64-2.69
硬度：	7
劈開：	なし
断口：	貝殻状
光沢：	ガラス
主要産地：	ブラジル、インド、オーストリア、ロシア、タンザニア
色：	緑、青緑、緑がかった茶、桃色、黄、灰色

ミルククォーツ

分類：珪酸塩鉱物（テクト珪酸塩）

結晶系：三方晶系

化学組成：二酸化珪素

晶癖：通常は塊状

白くて、半透明から不透明のクォーツの結晶やクラスターはすべて、ミルククォーツと呼ばれます。ミルクという名が冠されたのも、結晶の特徴であるおぼろな白に端を発しているのです。透明なロック・クォーツやアメジスト、シトリン、スモーキークォーツといったほかの石の内部に見られるおぼろな部分は、このミルククォーツによるものである場合が多々あります。ミルククォーツは、結晶が成長する非常に早い段階で形成され、その後、透明なクォーツに覆われることも珍しくありません。その結果、まるで結晶の中に結晶があるように見えるのです。内部の結晶は亡霊のように見えなくもなく、それゆえこのジェムストーンには、「ファントム・クォーツ」という別名もあります。

属性および特徴：ミルククォーツは、変成岩および火成岩内に産出し、鉱脈中への濃集が顕著な鉱物です。白い色は、クォーツの成長過程で閉じこめられた気体、液体、あるいは個体の細かいインクルージョンに起因します。通常ミルククォーツは塊状ですが、形のいい結晶（双尖六角柱状）も珍しくありません。クォーツは金鉱脈からも発見されることから、大きなクォーツの中には、金の細片や結晶を含むものもあり、それらは「ゴールド・クォーツ」と称されて、ジュエリーに利用されます。ミルククォーツもまた、ほかの金属や原鉱を含むこともあり、それらによって色を帯びる場合もあります。非常に大きな結晶は普通、シベリア産出です。

カット、セッティング、価値：ミルククォーツは、ジェムストーンとしてファセット加工（通常はブリリアント・カット）を施されることもありますが、たいていは、結晶のままか、せいぜいタンブルに加工される程度、あるいはビーズやカボション・カットが施されたり、カメオにされたりといった形で市場に出回ります。非常に入手しやすいことから、価格も手ごろで、大きなものをよく目にするでしょう。

屈折率：	1.544-1.553
複屈折：	0.009
分散度：	0.013
比重：	2.65
硬度：	7
劈開：	なし
断口：	貝殻状から不平坦状
光沢：	ガラス
主要産地：	ブラジル、マダガスカル、ロシア、ナミビア、ドイツ、ギリシャ、イギリス、米国ニューヨーク、ハンプシャー、ロード・アイランド、アラスカ、カリフォルニアの各州
色：	様々な白、通常は乳白色

ミルククォーツ

シャトヤンシー・クォーツ

分類：珪酸塩鉱物（テクト珪酸塩）

結晶系：三方晶系

化学組成：二酸化珪素

晶癖：通常は塊状

シャトヤンシー・クォーツは、繊維質鉱物からなる細かい空洞状の溝または、線条を有する、密度の高いクォーツです。ポリッシングにより、この種のクォーツにはキャッツアイが現れます（鉱物の端から端まで走る、細い光の線のように見えるものです）。実はシャトヤンシーとは、「猫の目」を意味するフランス語の"oeil de chat"からの造語です。シャトヤンシー・クォーツの中で最も知名度が高いものといえば、クロシドライト・キャッツアイともいわれるタイガーアイでしょう。鮮やかな黄色と琥珀色の縞模様を有し、ポリッシングすることで、美しい金色の光沢も見られます。ホークアイ（ファルコンアイともいわれます）は、青灰色か青緑で、タイガーアイよりも希少です。タイガーアイを加熱処理した、えび茶色のものもあります（チェリー・タイガーアイと称されることもあるものです）。ヘマタイトとジャスパーの縞模様を有するオーストラリア産のタイガーアイは、「タイガー・アイアン」といわれることもあります。

属性および特徴：クォーツ・キャッツアイはスリランカおよびインドで産出し、はちみつを思わせる黄色や、灰色、白といった色を有します。決して不透明ではなく、半透明です。タイガーアイは琥珀色で、酸化鉄の作用による縞模様が見られます。クロシドライト（青石綿）の変成インクルージョンを有し、それによってシャトヤンシー効果を示します。青いものはホークアイになります。ピーターサイトは、通常タイガーアイ、ときにホークアイからなる角礫岩です。1960年代にナミビアで発見されたピーターサイトは、赤、金、青、黒が描きだすドラマチックな模様を好んだコレクターから、熱い支持を得ています。中国でも産出します。

カット、セッティング、価値：キャッツアイの場合、ジェムストーンに見られるシャトヤンシーが、原石ではほとんどわからないため、カッティングが重要になります。キャッツアイ効果が最もよく現れるのは、線条あるいは繊維構造が底面に平行になるようカボション・カットした石です。石が大きくなればなるほど、値もはります。比較的手ごろなタイガーアイであれば、ビーズや、ポリッシングした石も人気があります。

屈折率：	1.544-1.553
複屈折：	0.009
分散度：	0.013
比重：	2.65
硬度：	7
劈開：	なし
断口：	貝殻状から不平坦状
光沢：	ガラス
主要産地：	スリランカ、南アフリカ、ミャンマー、インド、オーストラリア、中国
色：	青緑、琥珀、緑がかった灰色、えび茶

シャトヤンシー・クォーツ

分類：珪酸塩鉱物（テクト珪酸塩）

結晶系：三方晶系

化学組成：二酸化珪素

晶癖：条線を有する双尖六角柱状

多くの鉱物が、クォーツ内のインクルージョンとして発見されます。インクルージョンとは、結晶内に存在する、母岩の主要成分とは異なる物質です。トルマリン、クロライト、アホーアイト、パパゴアイト、ヘマタイト、リモナイト、カオリナイト、炭化水素、ルチルは、クォーツ内にインクルージョンとして存在し、それぞれが異なった効果をもたらします。複数の魅力的なインクルージョンの存在を誇示する、透明度の高いクォーツは、「シーニック」または「ガーデン」クォーツと称されます。

属性および特徴：最も人気のあるインクルージョン・クォーツは、ルチル・クォーツ（あるいは網状金紅石）です。透明なロック・クリスタルで、模様のように内包された金、銀、赤の針状ルチルが見えます。模様はすべて異なり、中には目を見はるほど美しいものも。インクルージョンは、「ビーナスの髪」や「キューピッドの矢」と称されることもあります。ルチル・クォーツほど有名ではありませんが、トルマリン・クォーツといわれるものもあり、これはルチルのかわりに、黒や深緑のトルマリン結晶が内包されています。金や銀といった、不透明な金属のインクルージョンも、マンガンや酸化鉄のデンドライト——銀色がかっていたり、灰色や黒の樹枝状結晶——同様、見られることがあるでしょう。クォーツの場合、気泡でさえも印象的なインクルージョンになることがあります。

カット、セッティング、価値：カボション・カットなら、シャトヤンシー（キャッツアイ）効果が見られることも珍しくありません。このカッティングは、インクルージョンの魅力を引き立ててもくれるでしょう。ブリリアントやステップ、ビーズ・カットも用いられます。ルチルやヘマタイトのスターバーストは、インクルージョン・クォーツの中でも最も人気が高いといえます。ファントムや「スターバースト」「フラワー」「スノーフレーク」それにデンドライトはどれも貴重で、コレクターが熱心に探し求めているものです。希少性と特殊性とインクルージョンの美しさで、この石の価値は決まります。インクルージョンの位置が中央に近く、はっきりしていればいるほど、価値も高くなります。

屈折率：	1.544-1.553
複屈折：	0.009
分散度：	0.013
比重：	2.65
硬度：	7
劈開：	菱面体方向にごくまれに見られる
断口：	貝殻状から不平坦状
光沢：	ガラス
主要産地：	マダガスカル、ブラジル、南アフリカ、インド、スリランカ、ドイツ、スイス、米国
色：	赤、黒、黄、金、緑、青、灰色のインクルージョンを有する無色

インクルージョン・クォーツ

アゲート
カルセドニー

分類：珪酸塩鉱物（テクト珪酸塩）

結晶系：三方晶系

化学組成：二酸化珪素

晶癖：塊状、あるいは同心円状の層からなる縞状；繊維状のことも

装飾用に利用される、最も知名度の高い繊維状カルセドニー（クォーツの一種）、それがアゲートです。アゲートは、その組成や物理的特性が結晶水晶に似ていますが、より軟らかく、比重も軽くなっています。含有する不純物に応じて、色も実に様々です。アゲートという名前は、紀元前300年ごろに発見された地、シチリアのアチヤテス川からきています。アゲートは多種多様です。いずれのアゲートも、母岩の空洞を埋めるように結晶化していきます。しばしば丸い隆起部から発見され、木の年輪を思わせる、均等な縞模様をともなっていて、その縞模様は、レースのような形状のものもあれば、目や、風景のように見えるものもあります。

属性および特徴：アゲートは、火山性溶岩などの岩の中に、こぶを思わせる塊状で産出します。多岐にわたる色や模様を有し、特に縞模様はアゲートならではの独特なものです。リボンアゲートは、横断面から見ると、縞がまっすぐな線のように見えます。白い縞が、黒、赤、あるいは茶の縞と交互に見られる場合、その石はオニキスやサードオニキスといわれます（p. 108参照）。様々な色の同心円状の縞模様を有するのが、リングあるいはアイアゲートです。モスアゲートには緑のインクルージョンが見られ、それが生長した植物を思わせる、独特な模様を描きだしています。アゲートは多くの場合不透明ですが、半透明のものもあり、ときとしてほぼ透明なものもあります。

カット、セッティング、価値：多孔質であることから、本来の色を際立たせるために、アゲートにはしばしば染色や着色が施されます。アゲートの価値は、その色と模様に応じて変わってくるのです。風景を思わせるような独特な模様が、最も価値の高いものになります。大きな石も、額面以上の値段で売られます。バンディッドアゲートは、最も人気のある石の一種ですし、メキシコ産が多い、繊細な模様のレースアゲートも、非常に珍重されています。ジュエリーとして最も一般的なのは、カボションおよびカメオ・カットされた石や、ポリッシング加工を施された石でしょう。またアゲートは、彫刻品としての需要も高い石です。

屈折率：	1.53-1.54
複屈折：	0-0.004
分散度：	0.013
比重：	2.57-2.64
硬度：	6.5
劈開：	なし
断口：	貝殻状、平行に走る繊維ゆえに破片状に見えることも
光沢：	ガラスからワックス
主要産地：	ドイツのイダー・オバーシュタイン、メキシコ、ウルグアイ、ブラジル、米国、中国、インド、マダガスカル、スコットランド、ナミビア、ロシア、ボツワナ
色：	灰色、赤褐色、青、紫からなる縞状；ほぼすべての色に染色可

アゲート

ファイアーアゲート
カルセドニー

分類：珪酸塩鉱物（テクト珪酸塩）

結晶系：三方晶系

化学組成：二酸化珪素

晶癖：表面が虹色に輝く湾曲した塊状

ほとんどのアゲート同様、ファイアーアゲートも層をなした石です。顕微鏡によらなければ確認できない、二酸化珪素と酸化鉄の薄い層を有しており、それによって入射可能になった光線が干渉しあい、ファイアーと呼ばれる美しい色をもたらしています。こうした虹色に輝く現象はイリデッセンスといわれ、真珠層に最もよく見られますが、ファイアーアゲートにことのほかすばらしいイリデッセンスが認められることもあるのです。このアゲートは、1940年代初頭に発見されました。

属性および特徴：ファイアーアゲートも、すべてのカルセドニー同様、コロイドシリカ（シリカゲル）と酸化鉄で飽和した熱水が母岩の空洞にはいり、それが冷えていく際に生成すると考えられています。これにより、二酸化珪素と酸化鉄の交代層（光彩層といわれるもの）ができ、このジェムストーンならではの、鮮やかなファイアーが見られるのです。上質な石の場合、この虹色にきらめく層が、石のいたるところに切れ目なくはっきりと確認できます。けれど多くは、途切れ途切れにでも層があればいいほうでしょうし、切れ目なくきれいにはいっていても、薄くてはっきりとはわかりません。

カット、セッティング、価値：上質なジェムストーンの産地が限られているため、ファイアーアゲートはいまだにとても希少です。当然のことながら、いい石は、コレクターのあいだで高値で取引されます。特徴である層が平行に走っていないことがままあるため、カッティングよりももっぱら彫刻を施される石がほとんどです。最も一般的なカットはカボションで、これはイリデッセンスを際立たせるために用いられます。ミックス・ファセット・カットもある程度は効果がありますし、ビーズやカメオ・カットも用いられますが、いたるところに見られる美しい曲線と非対称の模様ゆえに、ファイアーアゲートの場合は特別な工法のほうがよりふさわしいといえるでしょう。

屈折率：	1.530-1.539
複屈折：	0.004
分散度：	0.013
比重：	2.57-2.64
硬度：	6.5
劈開：	なし
断口：	貝殻状
光沢：	ガラスからワックス
主要産地：	アリゾナ、コロラド、米国カリフォルニア州、メキシコ
色：	茶、赤、オレンジ

オニキス、サード、サードオニキス

カルセドニー

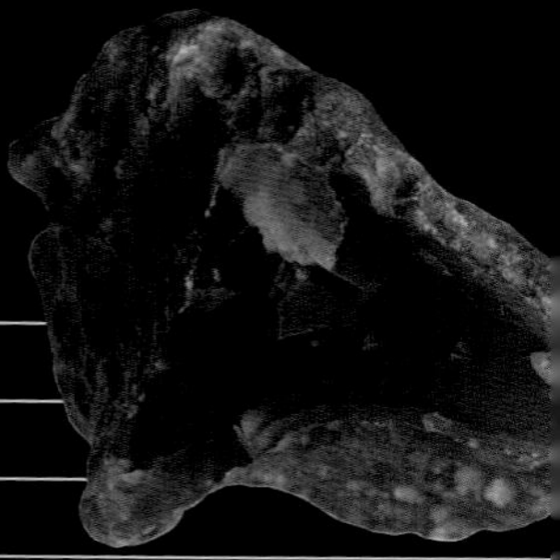

分類：珪酸塩鉱物（テクト珪酸塩）

結晶系：三方晶系

化学組成：二酸化珪素

晶癖：塊状、あるいは同心円状の帯や縞状

オニキスは、規則的な縞模様からなるアゲートで、各層ごとに実に異なる色を見せます。本物のオニキスは白と黒からなります。それと構造は似ているものの、色はえび茶と白で、常に縞模様を描いているのがサードオニキスです。オニキスという名前は、指の爪を意味するギリシャ語に由来します。いいつたえによれば、キューピッドがヴィーナスの爪を切り、それを地上にばらまいたところ、運命の３女神が石に変えたのだそうです。ギリシャ語の"sard"（トルコのサルディスという古代都市、との説も）からその名前がきているのがサードオニキスで、これは、茶色と白の縞模様を有するものをさします。

属性および特徴：近世のころ、オニキスはほかの縞模様を有する石、特にメキシコおよびパキスタンの洞窟で生成するカルサイトと間違われ、しばしば彫刻が施されていました。オニキスという名前で、「ブラック・オニキス」――通常は、色を黒くするために、加熱または酸処理されるカルセドニーのこと――をさす場合もあります。オニキスの縞模様は普通まっすぐで、この点が、曲線状の線が一般的なバンディッドアゲートと異なります。サードオニキスは、えび茶の縞と、白または黒の縞が交互に見られるオニキスです。サードは飽和性が低く、カーネリアンよりも茶色がかっていて、くすんでいます。サードはカーネリアンの別名と考えられることもあります。

カット、セッティング、価値：ブラック・オニキスが特によく輝くのは、ほかの石の背景として利用されるときでしょう。きめも細かく、彫刻にも最適です。バンディッドオニキスとサードオニキスは比較的値段も手ごろで、大きなものが発見されることがままあります。明るいオレンジがかった赤、えび茶、そして白の縞模様を有する石は特に人気です。染色を施していないサードオニキスはめったにありません。オニキスは不透明で、最も一般的なカットはカボションかビーズです。カメオやインタリオにも利用されます。

屈折率：	1.53-1.54
複屈折：	0-0.004
分散度：	0.0013
比重：	2.57-2.64
硬度：	6.5
劈開：	なし
断口：	貝殻状
光沢：	ガラス
主要産地：	インド、ロシア、パキスタン、米国、ドイツ、ブラジル、メキシコ
色：	オニキスは通常白黒の層（一様に黒の場合もある）；サードオニキスは白と赤の層を有するオニキス；サードは半透明の栗黄色からえび茶

オニキス、サード、サードオニキス

クリソプレーズ

カルセドニー

分類：珪酸塩鉱物（テクト珪酸塩）

結晶系：三方晶系

化学組成：二酸化珪素

晶癖：塊状、あるいは岩脈状

クリソプレーズという名前は、石の色を表現していて、「金」を意味するギリシャ語"chrysos"と、「ネギ」の意の"prason"に由来します。何年ものあいだこの名前は、ベリルをはじめとする黄緑色のジェムストーン数点をまとめてさしていましたが、次第に、カルセドニーの微晶質変種で、アップルグリーンのものだけをいうようになってきました。それよりも鈍いもえぎ色の石は、かわりにプレーズと称されています。クリソプレーズの主要産地はオーストラリアですが、ブラジルやウラル山脈からも産出します。

属性および特徴：クリソプレーズは隠微晶質（クリプトクリスタリン）、つまり微細結晶構造を有しています。高倍率下で見るこの結晶は、平行繊維のようです。緑色の石は大半が、クロムあるいはバナジウムからその色を得ていますが、クリソプレーズはそれとは異なり、その独特な緑色はニッケル珪酸塩粘土鉱物のような、酸化ニッケル化合物を含有していることによります。カルセドニーの中には、より深みのある、鮮やかな緑をした、希少な石もあります。この緑の誘因はクロムです。ジンバブエ産のこの石はムトロライトといわれますが、「クロム・カルセドニー」として売られることもあります。

カット、セッティング、価値：クリソプレーズは通常半透明ですが、品質の劣る石は、不透明なものも珍しくありません。半透明や、むらのない透明なクリソプレーズの数は、ごく限られています。この石は、色がきれいであれば、高値で売れます。クリソプレーズには通常、カボション、ビーズ、バングル・カットが用いられますが、彫刻が施され、ジュエリーや装飾用の置物に加工されることもあります。加工がしやすく、ポリッシングによってみごとな艶を帯びてくるのです。最高品質のものは値段もはり、色むらのない美しいアップルグリーンで、傷やインクルジョーン、あるいは欠陥といったものは一切見られません。クリソプレーズは、最も価値あるカルセドニーの１種といえるでしょう。

屈折率：	1.530-1.538
複屈折：	最大0.004
分散度：	0.013
比重：	2.57-2.64
硬度：	6.5
劈開：	なし
断口：	貝殻状
光沢：	ガラスから樹脂
主要産地：	オーストラリア、ブラジル、ロシアのウラル山脈、オーストリア
色：	淡緑、黄緑、アップルグリーン、深緑

クリソプレーズ

ジャスパー

カルセドニー

分類：珪酸塩鉱物（テクト珪酸塩）

結晶系：三方晶系

化学組成：二酸化珪素

晶癖：塊状

ジャスパーは何千年も前から、ジェムストーンや装飾用品として利用されてきました。名前の由来は、「斑点のある石」の意であるギリシャ語"iaspis"です。古代の世界で非常に愛され、その名は、ヘブライ語、アッシリア語、ペルシャ語、ギリシャ語、ラテン語にも見られます。ありとあらゆる色を有します。緑に赤がちりばめられた種は、ヘリオトロープやブラッドストーンとして知られています。色の誘因はほとんどが鉄ですが、マンガンを含むことも。通常は、アゲートおよびカルセドニーとともに発見されます。一般にカルセドニー・グループの一種と考えられていますが、その粒状構造から、クォーツに分類されることもあります。

属性および特徴：ジャスパーは装飾用の石で、大半がカルセドニーあるいは粒子の細かいクォーツからなります。酸化鉱物も含有していて、それによって色鮮やかな縞模様がもたらされるのです。ジャスパーは、その様々な種類に応じて、多様な商品名が付与されてきました。たとえばアップル・ジャスパー（金色を帯びた茶褐色）、ダルメシアン・ジャスパー（ベージュに黒い斑点）、ファンシー・ジャスパー（様々な色）、レオパード・ジャスパー（えび茶に黒い斑点）などで、このほかにも、各地域に特有の名前がたくさんあります。レッド・ジャスパーは、数ある産地の中でも特にインドとベネズエラで産出します。また米国では、カリフォルニア州産の球状をしたポピー・ジャスパー（白、ピンク、または赤い花のような模様を有する、黄色から赤い色あいの石）をはじめ、様々な色のものが産出していますし、ロシアは、赤と緑のリボン・ジャスパーの産地です。

カット、セッティング、価値：ジャスパーは装飾用品、あるいはジェムストーンとして利用されます。丁寧にポリッシングされたものは、花瓶や印章に用いられることもあり、かつては、かぎたばこいれに加工されたこともありました。あまり価値は高くなく、大半が安価なジュエリーや小さな装飾用品（彫刻や小箱など）に使われます。ジェムストーンのスタイルとしては、カメオ、インタリオ、ビーズ、ポリッシュ・ストーンが最も一般的です。また、モザイクにもしばしば使用されます。

屈折率：	1.54（スポット法）
複屈折：	なし
分散度：	クォーツとして0.013、ほとんど検出不可
比重：	2.58-2.91
硬度：	6.5- 7
劈開：	なし
断口：	貝殻状
光沢：	ガラスから脂肪
主要産地：	インド、エジプト、米国、カナダ、ロシア、オーストラリア、マダガスカル、ブラジル
色：	赤、ピンク、黄、緑、茶、納戸色

ジャスパー

カーネリアン
カルセドニー

分類：珪酸塩鉱物（テクト珪酸塩）

結晶系：三方晶系

化学組成：二酸化珪素

晶癖：塊状、繊維状の場合も

カーネリアンは半透明の石です。それゆえに、同じ色あいながら不透明なジャスパーとは別種になります。この名前は、「肉」を意味するラテン語"carne"からきています。おそらくその色のためでしょう。コーネリアンという別名もあり、こちらは「ハナミズキの実」という意味のラテン語"cornus"に由来しているようです。この石は古代ギリシャやローマで人気があり、カメオやシグネット・リング、インタリオに用いられていました。

属性および特徴：ほかのカルセドニー種同様カーネリアンも、岩石の空洞に沈殿した、シリカの豊富な溶液から生成します。結晶は、顕微鏡でやっと確認できるほど小さいため、多様な隠微晶質の結晶と考えられています。赤い色は酸化鉄（ヘマタイト）によるものです。加熱処理されると色あいは増します。カーネリアンの原始的な加熱処理は、数千年にわたって行われており、その際にはしばしば土器が用いられていました。繊維質がかなりはっきりと見える、鈍いワックス状の光沢を有した石です。橙赤色のカーネリアンとえび茶のサードの区別はあいまいで、鑑定する人によって異なります。

カット、セッティング、価値：いわゆるカーネリアンとして入手可能なものの多くが、染色されたのちに加熱処理されたアゲートです。自然に産出するカーネリアンの色は、もっとぼんやりとしていてむらがあります。ジェムストーンは、カボション・カットが普通ですが、カメオやビーズ・カットも人気があります。小さな石は、タンブルおよびポリッシング加工を施されることがあり、多くの良質なコレクションの主役となるでしょう。カーネリアンは、ほかの多くのカルセドニー種の石よりも価値があり、特に淡いルビー色（あるいはほかの淡くやわらかな色のもの）は高価ですが、それでもかなり手ごろな値段になっています。

屈折率：	1.53-1.55
複屈折：	0-0.004
分散度：	0.013
比重：	2.57-2.64
硬度：	6.5
劈開：	なし
断口：	貝殻状
光沢：	ガラスからワックス
主要産地：	インド、ブラジル、ウルグアイ、日本
色：	鮮やかな橙赤色から暗い橙褐色

ブラッドストーン
カルセドニー

分類：珪酸塩鉱物（テクト珪酸塩）

結晶系：三方晶系

化学組成：二酸化珪素

晶癖：塊状

ブラッドストーンはカルセドニーの変種で、ジャスパーに特有の赤い斑点を有する緑色のジャスパーです。赤い斑点が血のように見えることから、それを象徴する名前がついています。また、ヘリオトロープの別名でも知られる石です。ヘリオトロープという名前は、ギリシャ語の「太陽」を意味する"helios"と、「変わる」の意の"trepein"からきています。これは、この石を水に浸すと、太陽のような赤い色に変わる、といういいつたえがもとになっているのです。ポリッシュ・ストーンは、太陽光の反射、と表現されました。インドでは、きれいに磨かれたブラッドストーンが、呪薬や媚薬として用いられていました。

属性および特徴：ブラッドストーンは深緑のジャスパー、つまり隠微晶質のクォーツで、赤から茶色のインクルージョンを有します。赤い斑点は酸化鉄によるものですが、「地色」の緑は、クロライトまたは針状にはいったホルンブレンドの粒子に起因しています。ブラッドストーンは、ときに業界内で、ブラッド・ジャスパーと称されることもあります。黄やそれ以外の色を有するジャスパーもみうけられますが、こうした色鮮やかなジェムストーンは、ファンシー・ジャスパーと呼ばれるのが普通です。ブラッドストーンは主にインドとオーストラリアで発見、採掘されます。

カット、セッティング、価値：ブラッドストーンはカボション・カットが施されます。ブラッドストーンのシグネット・リングは人気があります。ビーズ・カットも用いられますが、印章として利用される場合がほとんどです。ポリッシュ・ストーンやカメオも広く好まれています。ドイツでは、bludstein（ブラッドストーン）という名前で、ヘマタイトとブラッドストーンの両方をさします。

屈折率：	1.54（スポット法）
複屈折：	なし
分散度：	クォーツとして0.013、ほとんど検出不可
比重：	2.58-2.91
硬度：	6.5
劈開：	なし
断口：	貝殻状
光沢：	ガラスからワックス
主要産地：	オーストラリア、ブラジル、中国、インド、スコットランド、米国
色：	赤い斑点を有する緑あるいは緑がかった青

ガスペイト

分類：炭酸塩鉱物

結晶系：三方晶系

化学組成：炭酸ニッケル

晶癖：通常は塊状

ガスペイトは、発見された地——カナダのケベック州、ガスペ半島にちなんで名づけられました。1966年に、独立した鉱物として認められています。産地が限られているため、希少なものと見なされていますが、半貴石市場では人気が高まってきている石です。淡緑からアップルグリーンの色を有するこの半貴石にはしばしば、母岩に由来する茶色いインクルージョンが見られます。こうしたインクルージョンは、ガスペイトの美しさをまったく損なうことなく、むしろ独特な模様を描きだすことで、この石の価値をさらに高めているのです。

属性および特徴：ガスペイトはカルサイト・グループに属する石で、このグループにはほかにカルサイト、マグネサイト、ロードクロサイト、シデライト、スミソナイト、スフェロコバルタイトが含まれます。ガスペイトは、硫化ニッケル鉱床の近くで二次鉱物として発見される石です。乾燥あるいは半乾燥状態で発見されることがほとんどで、これによって炭酸カルシウムあるいは炭酸塩鉱物の濃化を促進します。通常は塊状で発見され、結晶は希少です。ガスペイトはニッケルの含有量が高く、それゆえに独特な色がもたらされています。最初に発見されたのはカナダですが、現在の主要産地は、西オーストラリアのウィジムールサという小さな町です。また、日本、南アフリカ、サルデーニャでも発見されています。結晶は通常半透明で、塊状のものは不透明です。ガスペイトは、トルコ石と間違われることがある緑色の鉱物、バリサイトやファウスタイトとその色がよく似ています。

カット、セッティング、価値：この珍しい石は、ごく最近、ジュエリーに用いられるようになってきました。多くの場合、銀の台座にセットされます。ジュエリー業界では、ビーズやペンダント、彫刻に用いられ、しばしばカボション･カットが施されます。今のところは比較的安価です。ポリマーを含浸させて、表面を強化し、色を際立たせる場合があります。

屈折率：	1.61-1.83
複屈折：	0.22
分散度：	強い
比重：	3.21
硬度：	4.5-5.0
劈開：	三方向に良好
断口：	不平坦状
光沢：	ガラスから艶なし
主要産地：	カナダのケベック州、オーストラリアのパース
色：	薄緑から鮮緑、あるいはオリーブ・グリーン

ガスペイト

ルビー
コランダム

分類：酸化鉱物

結晶系：三方晶系

化学組成：酸化アルミニウム

晶癖：六角両錐状あるいは菱面体

何千年にもわたって、ルビーは世界で最も価値あるジェムストーンの１つと考えられ、インドはその最重要産地として、広く認められていました。サンスクリット語では"ratnaraj"といい、「ジェムストーンの王」との意です。ルビーの名は、「赤」の意のラテン語"ruber"からきています。最も耐久性の高い鉱物の１つコランダムの宝石質種で、酸化アルミニウムの結晶形態です。赤い種がルビーで、赤以外の種はサファイアといわれます。ルビーの中でも最高の赤は、ピジョン・ブラッドと呼ばれますが、実際には、一口にルビーといっても様々な色あいのものがあり（紫がかったもの、オレンジみを帯びたもの、茶色っぽいものなど）、ほぼピンクのスター・ルビーもあります。

属性および特徴：コランダムは、変成岩や火成岩から産出する、ごく一般的な鉱物です。ルビーの赤い色は、微量に含まれているクロムという元素に起因します。ルチルあるいはダイスポアの結晶インクルージョンが６条のスター効果（いわゆるアステリズム）をもたらし、「スター・ルビー」を生みだします。ルビーは世界中から産出しますが、上質なジェムストーンの産地は、タイ、インド、マダガスカル、ジンバブエ、米国ノースカロライナ州、アフガニスタン、パキスタン、スリランカ、ケニア、タンザニア、ベトナムであり、特に顕著なのがミャンマーです。

カット、セッティング、価値：透明で完璧なルビーは、肉眼で確認できるインクルージョンを有するものより、はるかに価値があります。ルビーの価値を決める最も重要な要因は色です。より大きなルビーは、一段と希少性が高く、同じ品質の小さな石より、１カラットあたりの値段も高くなってきます。実際、大きなルビーは、最高品質のダイヤモンドでさえおよばないほど価値があり、希少です。アステリズムが認められるルビーには、カボション・カットが施されます。そうでない場合、最も一般的に用いられるのがファセット・カット（通常はミックス、ステップ、ブリリアント・カット）でしょう。低品質の安価なルビーは、色と透明度をごまかすために鉛ガラスが充填されることがままあります。

屈折率：	1.761-1.769
複屈折：	0.008
分散度：	0.018
比重：	3.99-4.00
硬度：	9
劈開：	底面に弱い裂開
断口：	貝殻状
光沢：	ダイヤモンドからガラス
主要産地：	ミャンマー、タイ、スリランカ、インド、ベトナム、ケニア、タンザニア、マダガスカル
色：	赤から紫赤（スター・ストーンの場合は赤みを帯びたピンクのことも）

サファイア
コランダム

分類：酸化鉱物

結晶系：三方晶系

化学組成：酸化アルミニウム

晶癖：六角両錐状あるいはビール樽状

特定の色が指定されない場合、サファイアという言葉はコランダムの青い変種をさします。最上級のサファイアは､美しいコーンフラワー･ブルーです。かつてこの色は､最上級サファイアの伝統的な産地に敬意を表して、カシミール・ブルーと称されていました。サファイアという名前は、「青」を意味するラテン語の"sapphirus"からきていますが、この言葉は以前、ラピスラズリをさす言葉としても使われていたようです。

属性および特徴：コランダム・グループのジェムストーンはすべて、地底深部の高圧と高熱の結果ジェムストーン内で結晶化した純度100パーセントの酸化アルミニウムからできています。そこにほかの元素が少量混在することで色がもたらされ、基本的には無色のものが、青、赤、黄、ピンク、緑といったサファイアに変化するのです。何世紀にもわたって、どの石がサファイアに分類されるのか、といった議論が、幾度も繰り返されてきました。その結果、(クロムに起因する) 赤い石はルビーと称し、「ルビー」の赤以外の色はすべてサファイアと呼ぶ、という全体的な合意に達したのです。サファイアの青い色は、少量の鉄とチタンによります。また、カッティングされた石の色は、劇的に変わることがあります。

カット、セッティング、価値：サファイアには、ステップおよびブリリアント・カットが施されます。アステリズムや、それ以外の天然のインクルージョンが見られる石は、カボション・カットされます。大半のジュエラーが所有している、一段と深みある (黒に近い) 青い石は、鮮やかで、より明るい色調の青い石ほどの価値はありません。含有物もなく、色も濃い、ほんのわずかに紫をかんだ「カシミール」が、品質も価値も最上の青と考えられています。最近、1990年代初頭ですが、このカシミールと称される色の石が数点、マダガスカルで採掘されました。「ビルマ･サファイア」といわれる色も高い評価を得ています。この色は､豊かなロイヤル･ブルーから、深いコーンフラワー・ブルーまでの色調を有します。最高品質の青いサファイアは変成鉱床から産出しますが、依然として希少な存在です。

屈折率：	1.760-1.780
複屈折：	0.008
分散度：	0.018
比重：	3.98-4.00
硬度：	9
劈開：	底面に弱い裂開
断口：	貝殻状
光沢：	ダイヤモンドからガラス
主要産地：	スリランカ、ミャンマー、タイ、米国モンタナ州、オーストラリア、ルワンダ、ケニア、タンザニア、マダガスカル
色：	青；ファンシー・サファイアは赤以外のあらゆる色

サファイア

パパラチア・サファイア
コランダム

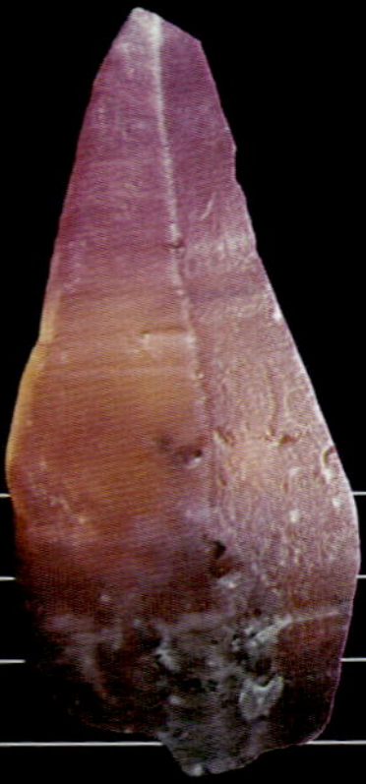

分類：酸化鉱物

結晶系：三方晶系

化学組成：酸化アルミニウム

晶癖：六角両錐状

パパラチア・サファイアは、オレンジがかったピンクのサファイア（コランダム）です。この非常に希少なジェムストーンは、その魅力的な色に価値があります。スリランカにあるのが最も重要な鉱床です。ベトナムのピンク・サファイアとアフリカの赤橙サファイアは、パパラチア・サファイアに非常によく似ています。名前は、蓮の花を意味するシンハラ語からきています。（加熱処理されていない）自然な色のパパラチア・サファイアは、世界でも最も希少で最も価値あるコランダムの１つです。

属性および特徴：大部分のパパラチア・サファイア（およびほかの色のサファイアもほとんど）が、色を際立たせ、透明度を増すために加熱処理されています。パパラチア・サファイアのオレンジがかったピンク色は、少量ずつ含有している鉄とクロムに起因します。最も大きい宝石質のパパラチア・サファイアは、1980年代中ごろにスリランカで発見された、1126カラットの結晶です。また、重さ100.18カラットにもなる、ファセット加工を施した大きなパパラチア・サファイアは、ニューヨークにあるアメリカ自然史博物館で見ることができます。

カット、セッティング、価値：パパラチア・サファイアは世界で最も高価なジェムストーンの１つであり、その値段は、みごとなルビーやエメラルド、さらにはダイヤモンドにさえ匹敵します。パパラチア・サファイアの場合、インクルージョンがはっきり見えてしまうため、同程度のルビーよりもおのずと高い透明度が求められてきます。しかしながら、パパラチア・サファイアのほうがルビーよりも希少性が高く、通常は２カラットよりはるかに小さい石からしか見つからないため、非常に珍重され、高値がつけられるのです。また、深い純色のものほど価値が高くなります。通常施されるのはミックス・カットです。ベリリウム拡散（処理）された、オレンジがかったピンクのサファイアが、誤ってパパラチアと称されることがあります。

屈折率：	1.761-1.769
複屈折：	0.008
分散度：	0.018
比重：	3.98-3.99
硬度：	9
劈開：	底面に弱い裂開
断口：	貝殻状
光沢：	ダイヤモンドからガラス
主要産地：	スリランカ
色：	ピンクがかったオレンジ

パパラチア・サファイア

カラーレス・サファイア
コランダム

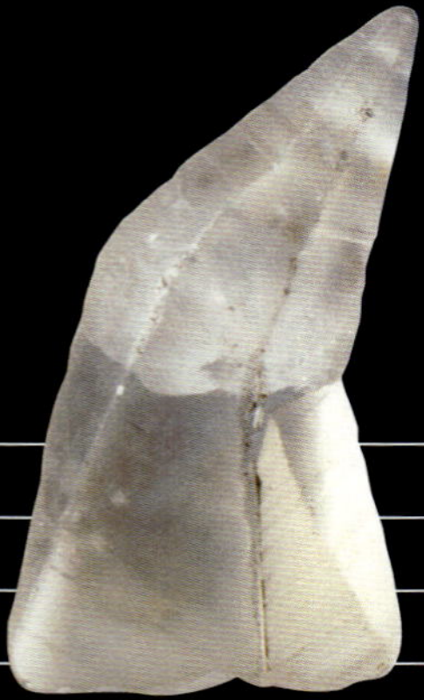

分類：酸化鉱物

結晶系：三方晶系

化学組成：酸化アルミニウム

晶癖：六角両錐状あるいはビール樽状

無色透明のコランダムは、ホワイト・サファイア、カラーレス・サファイア、あるいはロイコ・サファイアといわれます。カラーレス・サファイアには、色をもたらす微量元素がありません。こうした石は、顕微鏡のレンズとしてカットされることがあります。主な理由は、非常に硬く、屈折率も高いうえに、分散度が低いためです。宝石質のカラーレス・サファイアは珍しく、入手は非常に難しいでしょう。そうした石は長いあいだ、ダイヤモンドの代替品として利用されてきました。中には、淡い青や黄、ピンクといった色をごくかすかに有するものもありますが、そうした色があるにもかかわらず、それらは依然としてカラーレス、無色と考えられています。

属性および特徴：天然のカラーレス・サファイアは通常、採掘されたときは淡い灰色か茶色をしています。それを加熱処理して、透明にしていくのです。けれどごくまれに、透明な状態で見つかる場合があります。合成コランダムは、ベルヌーイ法としても知られる、火炎溶融法を用いて人工的に複製された最初のジェムストーンでした。この方法は、1902年にフランス人化学者オーギュスト・ヴィクトル・ルイ・ベルヌーイによって発明されたものです。ディアモンダイトは、1900年代初頭にダイヤモンドのイミテーションとして人気を博しましたが、実際には、火炎溶融法でつくられた合成のカラーレス・サファイアでした。

カット、セッティング、価値：最もよく目にするホワイト・サファイアといえば、指輪にセットされた、ひときわ大きな色石を囲む、ラウンドあるいはオーバル・ブリリアント・カットのものでしょう。合成のカラーレス・サファイアは、天然のものに比べてはるかに多く出回っており、しばしば時計の盤面に利用されます。

屈折率：	1.761-1.769
複屈折：	0.008
分散度：	0.018
比重：	3.99
硬度：	9
劈開：	底面に弱い裂開
断口：	貝殻状
光沢：	ダイヤモンドからガラス
主要産地：	スリランカ
色：	無色、ほのかにピンク、青、黄を帯びることもある

カラーレス・サファイア

グリーン・サファイア
コランダム

分類：酸化鉱物

結晶系：三方晶系

化学組成：酸化アルミニウム

晶癖：六角両錐状あるいはビール樽状

前世紀まで、（青いサファイアをのぞく）すべてのサファイアは、頭に「オリエンタル」とつけただけで、同色の人気の高いジェムストーンと同じ名前で呼ばれていました。たとえば、緑のサファイアはオリエンタル・エメラルド、黄緑のサファイアはオリエンタル・ペリドット、深緑のサファイアはオリエンタル・トルマリン、といった具合です。一見緑色のサファイアは、実はその多くが縞模様——青と黄色のサファイアが交互に織りなす非常に美しい縞模様からなっています。ただしこうした縞模様は通常、顕微鏡下でしか確認できず、肉眼では見ることができません。

属性および特徴：グリーン・サファイアは概して黄色がかったもの、オリーブ・グリーン、トルマリンのような深緑ですが、緑から青緑、黄緑といった（見る角度によって様々な色が現れる）多色性を有しています。最上質のクロム・トルマリンやツァボライト・ガーネット、エメラルドに比べると、さほど鮮やかな色ではないものの、外見が非常によく似ていることが多く、見分けるには精査が必要です。微量に含まれる第一鉄と鉄イオンによって、この色がもたらされています。

カット、セッティング、価値：最上質のグリーン・サファイアはスリランカ産ですが、非常に希少です。スリランカ産は通常、タイやオーストラリア産に比して緑が薄く、鮮やかさにも欠けます。後者の国々から産出するグリーン・サファイアもみごとですが、その多くに不純物が含まれているため、それによって黄色や青い色みが出てしまい、グリーン・サファイアの美しさや価値を損ねてしまっているのです。透明度が高く、充分な大きさ（10カラット以上）もある、美しい色あいのグリーン・サファイアは、比較的数が少ないといわざるをえません。オーバルとクッションのミックス・カットが最も一般的ですが、ときにはスクエアや、レクタンギュラー・ステップ・カットを目にすることもあります。耐久性が高いことから、あらゆるコレクションに加えられるのはもとより、ジュエリーへの活用にも好んで選ばれているのがグリーン・サファイアです。

屈折率：	1.761-1.780
複屈折：	0.008
分散度：	0.018
比重：	3.98-4.00
硬度：	9
劈開：	底面に弱い裂開
断口：	貝殻状
光沢：	ダイヤモンドからガラス
主要産地：	タイ、スリランカ、オーストラリア、タンザニア、米国モンタナ州
色：	淡緑から深緑

ピンク・サファイア
コランダム

分類：酸化鉱物

結晶系：三方晶系

化学組成：酸化アルミニウム

晶癖：六角両錐状あるいはビール樽状

ピンク・サファイアは、ファンシー・サファイアとして知られるコランダムの一種です。色をもたらしているのはルビーと同じ元素——クロム——ですが、ルビーよりも量は少なくなります。また、値段と人気の点でも、ルビーにはおよびません。しかしながら、この石を誤ってルビーと称している国々もあります。

属性および特徴：ピンク・サファイアの色は、混入している少量のクロムによってもたらされています。クロムの含有量が高くなればなるほど色も濃くなり、ついにはルビーとなるのです。スリランカ産のピンク・サファイアは青みを帯びがちなため、ほぼ紫に見えます。歴史に残るルビーが数多く採掘されてきたミャンマーでも、ピンク・サファイアは産出しますし、アフリカの鉱床からも、ピンクや赤橙色のサファイアが採掘されています。最近のピンク・サファイアは、その多くがマダガスカルの鉱山から採収されたものです。これらは、市場に出回りはじめてまだ日も浅いジェムストーンですが、実に様々な色調を有しています。ベトナムは複数の鉱床を抱える重要な産地で、ピンクから紫のサファイアが産出します。

カット、セッティング、価値：最も人気があり、値もはるピンク・サファイアは、ルビーとさして変わらない色をしてます。紫が勝っている石は価値が低く、淡い色や茶色みを帯びた石も、依然安価です。ほとんどのコランダム同様、ピンク・サファイアもブリリアント、クッション、ブリオレット・カットが施されます。ピンク・サファイアにインクルージョンはつきものですが、最も高価なものは、アステリズム以外アイクリーン（肉眼ではわからない）です。赤や紫がかったピンクのスター・ストーンは、専門家によってスター・ルビーと鑑定されることも珍しくなく、そうなるとその価値は一段と高くなります。

屈折率：	1.761-1.780
複屈折：	0.008
分散度：	0.018
比重：	3.98-4.00
硬度：	9
劈開：	底面に弱い裂開
断口：	貝殻状
光沢：	ダイヤモンドからガラス
主要産地：	スリランカ、ベトナム、ミャンマー、タンザニア、ケニア、マダガスカル
色：	淡いピンクから紫がかったピンク（マゼンタ）

ピンク・サファイア

イエロー・サファイア

コランダム

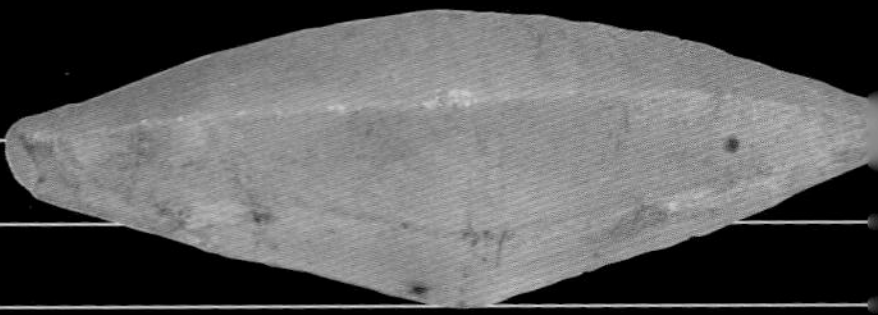

分類：酸化鉱物

結晶系：三方晶系

化学組成：酸化アルミニウム

晶癖：六角両錐状あるいはビール樽状

1880年代まで、イエロー・サファイアはオリエンタル・トパーズといわれていました。大多数の石が、小麦を思わせる淡黄色ですが、緑や茶といった色あいに変わることも珍しくありません。前者の場合は、イエロー・グリーン・サファイアに近い色になります。独特の黄色い色を有するコランダムは貴重ですが、さほど珍しくはないでしょう。カラーレス・サファイアを加熱処理して黄色に変色させることがよくあります。

属性および特徴：イエロー・サファイアの色は、石に含まれる鉄によるものです。コランダム・グループのすべての石同様、イエロー・サファイアも、石灰岩や片岩（変成岩）、そして川床や流れの中から、結晶として発見されます。けれど大半は、オーストラリアや中国、あるいはタイで見られるように、玄武岩質溶岩流に付随して産出します。黄色い色あいは、加熱処理や放射線照射、ベリリウム拡散によっても得られますが、放射線照射の場合は、往々にして光安定性には欠けるでしょう。

カット、セッティング、価値：この石の価値は、その独特の色あいによって決まります。最も値がはるのは、オレンジがかった黄色や、きれいなレモン色の石です。色の均一さと同様、透明度も重要になってきます。スリランカ産のサファイアには、黄、明るい緑、無色のものがあります。最高に深みのある、濃い色の石でも、鮮やかなブルー・サファイアの価値にはおよびません。イエロー・サファイアは、ブリリアント・カットが施されるのが普通です。

屈折率：	1.761-1.780
複屈折：	0.008
分散度：	0.018
比重：	3.98-4.00
硬度：	9
劈開：	底面に弱い裂開
断口：	貝殻状
光沢：	ダイヤモンドからガラス
主要産地：	スリランカ、インド、オーストラリア、中国、米国モンタナ州、タイ
色：	黄、金、オレンジ

イエロー・サファイア

ユーディアライト

分類：珪酸塩鉱物（サイクロ珪酸塩）

結晶系：三方晶系

化学組成：ナトリウム、カルシウム、鉄、ジルコニウムの珪酸塩鉱物

晶癖：通常は塊状

ユーディアライトは希少なジェムストーンです。グリーンランドのユリアナホープという町ではじめて発見されたのは、1819年でした。この石の名前は、「簡単に分解する」という意味のギリシャ語"eu"と"dialytos"に由来します。この鉱物が、酸によく溶ける事実に言及した名前です。赤紫、ピンク、黄、茶といった独特な色を有して産出します。ロシア人業者のあいだでは、濃い洋紅色の石を「ドラゴンズブラッド（竜の血）」と呼ぶこともあります。

属性および特徴：ユーディアライトはサイクロ珪酸塩鉱物です。良質な結晶はごくまれにしか生成されませんが、ユーディアライトの場合は、結晶面の形成すら非常に珍しいといえます。通常は、母岩の1構成要素として産出します。アルマンディン・スパーはユーディアライトの代替名であり、ユーコライトは化学組成の異なる鉱物の名前です。主要産地としては、カナダのケベック州モンサンチレール（ここで発見される石には概して、割れや、熱による薄いベール状の裂け目があります）や、ロシアのコラ半島（この地の石には、石そのものよりも色の濃いインクルージョンがわずかに見られます）などがあげられます。グリーンランドやノルウェー、米国アーカンソー州でも発見されています。

カット、セッティング、価値：ユーディアライトは、どちらかといえば軟らかく、割れやすいジェムストーンなので、セッティングには慎重さが求められます。塊そのものは、手と同じかそれより大きいものの、平らな面は小さく、透明な石は概して半カラット以下です。不透明な石からは、大きなカボションが加工されています。最も価値があるといわれているのが、ロシア産です。その透明な美しさにもかかわらず、ユーディアライトは、長く愛されるジェムストーンとしてよりも、依然としてコレクター好みの珍品の座にとどまっています。

屈折率：	1.596-1.602
複屈折：	0.004
分散度：	強い
比重：	2.88
硬度：	5-6
劈開：	一方向に不完全
断口：	不平坦状
光沢：	ガラス
主要産地：	スウェーデン、カナダ（ケベック州のシェフィールド湖およびモンサンチレール）、ロシア（コラ半島）、グリーンランド
色：	ダークからミディアム・レッド、オレンジがかった赤、茶褐色

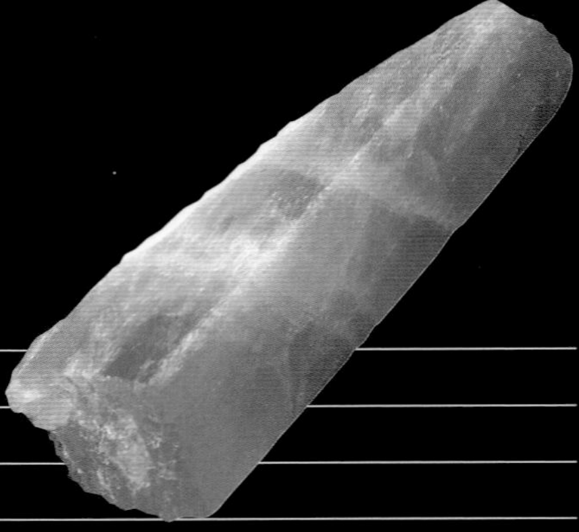

分類：炭酸塩鉱物

結晶系：三方晶系

化学組成：炭酸カルシウム

晶癖：釘状から板状まで様々

カルサイトは、「石灰」を意味するラテン語"calx"からその名を得ています。地殻の中で最もよく知られる鉱物の１つでしょう。カルサイトの透明種であるアイスランド・スパーは無色で、ことのほか大きいダブリング（複屈折）で有名です。メキシカン・オニキスはカルサイトの半透明種で縞模様を有し、広く装飾用に利用されます。

属性および特徴：カルサイトは非常に大きな岩を形成することがあり、変成岩および堆積岩にとっては大事な構成要素です。カルサイトには、認識されているだけで300をこえる結晶形があり、それらが結合して変化し、さらに膨大な数の結晶が生成されています。蛍光性、燐光性、熱ルミネッセンス、摩擦ルミネッセンスも、カルサイトの重要な特性ですが、あらゆるカルサイトがこの特性をすべて備えているわけではありません。メキシコ産のスパー・カルサイトは、美しい青または紫の蛍光を発することができ、光源を遠ざけても、燐光を発する（光りつづける）ものもあります。

カット、セッティング、価値：カルサイトは非常に硬度が低く、傷つきやすいことから、宝石質の鉱物としてはあまり需要はありません。しかしながらジェムストーン業界では今も変わらず、カボションやファセット・カットが施されたり、彫刻に用いられたりしています。白い、繊維質種のカルサイトは、シャトヤンシー効果を示すために、カボション・カットされることがあります。カルサイトは、自然界に非常にたくさんあるため、安価で簡単に入手できるでしょう。美しい無色の結晶は、米国ミシガン州やロシア、インドをはじめ、世界各地で産出しています。コレクターは、高い屈折率によってもたらされる色鮮やかな閃光ゆえに、大きくて、ファセット加工された無色透明のカルサイトを高く評価します。

屈折率：	1.486-1.658
複屈折：	0.172
分散度：	0.02
比重：	2.71
硬度：	3
劈開：	三方向に完全
断口：	不平坦状
光沢：	ガラスから真珠
主要産地：	イギリス、メキシコ、インド、アイスランド；米国ニューヨーク、モンタナ、ユタの各州；ナミビア、ロシア
色：	白、黄、茶、ピンク、青など

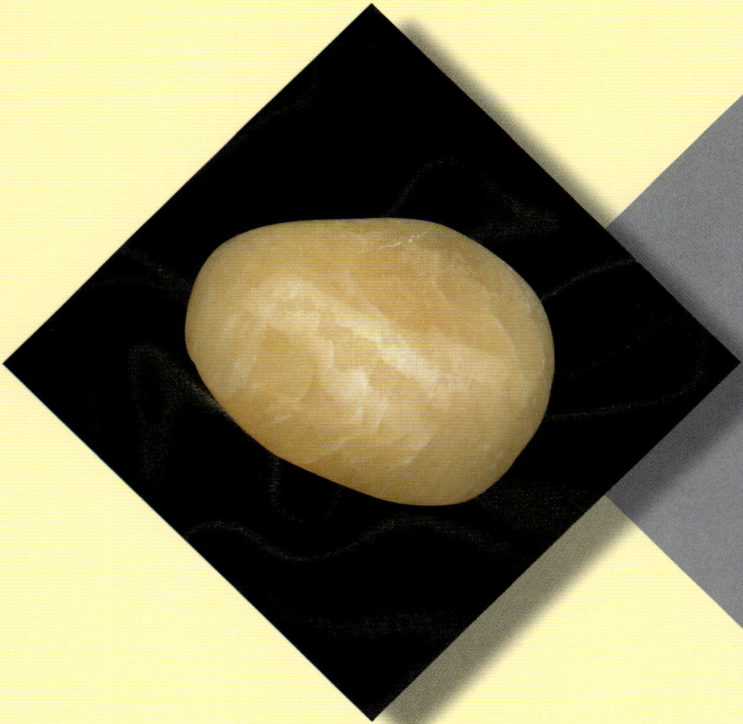

フェナサイト

分類：珪酸塩鉱物（ネソ珪酸塩）

結晶系：三方晶系

化学組成：珪酸ベリリウム

晶癖：通常は扁平菱面体

フェナサイトは希少な珪酸ベリリウム鉱物です。かつてはよくジェムストーンとして用いられていました。たいていはその高い屈折率で知られています。フェナカイトともいわれます。フェナサイトという名前は､「だますもの」という意味のギリシャ語"phenax"に由来していて、この鉱物がしばしばクォーツと間違えられる事実に言及したものといえるでしょう。希少な石ですが、普通は、ほかの高価なジェムストーンといっしょに発見されます。完全な無色透明のものも存在しますが、大半は不透明で有色です。ピンクや黄色がかった色あいのこともあります。

属性および特徴：フェナサイトは、ペグマタイトのポケット（空洞）や花崗岩の火成岩、熱水鉱脈から発見されます。ベリルとともに片岩中に産出することもあります。ほかのジェムストーンといっしょに発見されることも多々あり、たとえばトパーズ、キャシテライト、カルサイト、ベリル（特にエメラルド）、クリソベリル、スモーキークォーツなどがあげられるでしょう。三方晶系で、短い角柱を形成することが多々あります。また、産地に応じて実に様々にその結晶の形が異なるのも特徴です。ロシアのウラル山脈、特にエカテリンブルク近郊ですばらしい石が産出していますし、ブラジルでも、良質なものが発見されています。フェナサイトは、ある種の合成エメラルド内にインクルージョンとして広く存在します。

カット、セッティング、価値：フェナサイトの上質な結晶は、往々にして完全な透明です。硬度が高く、希少で、良好な劈開もないことから、ジェムストーンには最適といえますが、昨今ジェムストーンとして利用されることはめったにありません。結晶は､やや色とファイアに欠けるものの、すりガラスを思わせる美しい表面をしています。適切にカットされれば、独特な光沢を有するすてきなジェムストーンになるでしょう。通常はミックスかブリリアント・カットで加工されます。コレクターのあいだで非常に人気が高く、特にその双晶は珍重されています。

屈折率：	1.651-1.670
複屈折：	0.016
分散度：	0.015
比重：	2.92-2.97
硬度：	7.5-8
劈開：	一方向に明瞭
断口：	貝殻状
光沢：	ガラス
主要産地：	ロシア、ブラジル、スリランカ、オーストリア、スイス、フランス、ナミビア、タンザニア
色：	無色；表面の変色により黄、ピンク、茶のことも

分類：珪酸塩鉱物（サイクロ珪酸塩）

結晶系：三方晶系

化学組成：含水珪酸銅

晶癖：柱状あるいは菱面体結晶

ダイオプテースはことのほか美しい鉱物で、その生命力あふれる緑色から、エメラルドに匹敵する数少ないジェムストーンの１つといわれ、それゆえに、最初は間違えられもしました。とても軟らかく、はっきりとした劈開もあるため、通常、ジェムストーンとしてカットされることはありません。ダイオプテースの名前は、1797年にフランス人鉱物学者ルネ＝ジュスト・アユイによって、ギリシャ語の「すけて」を意味する"dia"と、「見える」の意の"optizein"から名づけられました。無傷の結晶内に、２面の劈開面がはっきりと見えることに言及したものです。

属性および特徴：ダイオプテースは非常に希少で、普通は乾燥した砂漠地帯から採掘されます。そこで、硫化銅鉱床の二次鉱物として生成するのです（そのため緑色を帯びています）。多くの結晶が透きとおっていますが、豊かな色あいのためにくもって見えることもあります。ダイオプテースは三方晶系で晶出し、その形は柱状から菱面体結晶が最も一般的で、産地によっては、５センチメートルほどにまで成長するものもあります。細長い柱状の結晶が産出する地も。鉱物は、結晶の硬い膜（集晶）と、みごとな結晶性凝集体に覆われた状態で産出します。

カット、セッティング、価値：ダイオプテースの美しい結晶は、ロシアから入手可能です。アフリカのとある重要な産地では、もはや採掘は行われていません。結晶が大きくなればなるほど希少になります。ファセット加工が施されることはめったにありません（施される場合は、コレクター用に限られます。ジュエリーとしてカットするには、非常に軟らかく、こわれやすい石だからです）。ファセット加工が施されるのであれば、概してブリリアント・カットが用いられます。が、それよりさらに一般的なのが、カボションやビーズ・カットでしょう。

屈折率：	1.644-1.709
複屈折：	0.053
分散度：	0.036
比重：	3.28-3.35
硬度：	5
劈開：	三方向に完全
断口：	貝殻状
光沢：	ガラス
主要産地：	ロシア、コンゴ、チリ、ナミビア、米国
色：	エメラルド・グリーン、青緑

ダイオプテース

分類：炭酸塩鉱物

結晶系：三方晶系

化学組成：炭酸カルシウムマグネシウム

晶癖：菱面体および鞍状の連晶

ドロマイトは、地殻から得られるマグネシウムを主に含有します。堆積岩を形成する鉱物で、通常は、深さ10キロメートル前後にもおよぶことがある、大規模な地層から採掘されます。炭酸カルシウムマグネシウムからなる、割れやすい石です。1797年、ドロマイトは、博物学者で地質学者のフランス人デオダ・ドゥ・グラテ・ドゥ・ドロミュー（1750-1801）によってはじめてその存在が報告されました。きっかけは、イタリア・アルプス地帯（現在は、ドロミューに敬意を表してドロミテ・アルプスと呼ばれています）からの産出です。何種類かの色を帯びることはありますが、最も一般的なのは無色と白でしょう。ドロマイトの光沢は、最上の真珠光沢の１つに数えられます。

属性および特徴：純度100%のドロマイトは、白または黄色を帯びて産出することが珍しくありません。含有している微量の鉄が、結晶に黄から茶の色あいを付与するのです。マンガンの含有率が高くなると、結晶は淡いローズピンクになることもあります。そしてコバルトは、一段と紫がかったピンクをもたらすでしょう。ドロマイトはカルサイトにとてもよく似ていますが、カルサイトは炭酸カルシウムからのみなります。白や、灰色からピンクといった色を有し、晶癖は通常塊状ですが、主に湾曲結晶を形成します。物理的特性は、カルサイトに近いといえるでしょう。

カット、セッティング、価値：米国中西部産のドロマイトの結晶は、その美しいピンク色と真珠光沢、珍しい晶癖でよく知られています。無色のドロマイトは、軟らかく、完全な劈開もあることから、めったにファセット加工は施されませんが、中には、コレクター用にカットされるものもあります――その場合用いられるのは、通常ステップ・カットです。

屈折率：	1.502-1.681
複屈折：	0.179
分散度：	0.027
比重：	2.8-2.9
硬度：	3.5-4
劈開：	三方向に完全
断口：	亜貝殻状
光沢：	ガラスから真珠
主要産地：	米国中西部、カナダのオンタリオ州、スイス、スペイン、メキシコ
色：	白、灰色からピンク

スミソナイト

分類：炭酸塩鉱物

結晶系：三方晶系

化学組成：炭酸亜鉛

晶癖：通常は湾曲した塊状、
ときに菱面体のことも

スミソナイトは炭酸亜鉛の鉱物です。この名前は、イギリスの鉱物学者で化学者のジェームズ・スミソン（1765-1829）——米国におけるスミソニアン協会設立のため、遺言により遺産を残した人物——にちなんだものです。彼は最初に、この鉱物とカラミン（ヘミモルファイト）とを区別しました。しかしながら、すでに2000年以上前には、ローマ人がスミソナイトから亜鉛を抽出して銅と混ぜ、真鍮をつくっていたのです。

属性および特徴：スミソナイトは希少な炭酸塩鉱物で、ほとんどの場合、ガレナやスファレライトといった鉱物といっしょに、なかんずく石灰岩豊富な地域で発見されます。ドロマイト同様、独特な真珠光沢を有していますが、スミソナイトの場合は、キラキラと輝く溶けた蝋《ろう》を思わせます。スミソナイトは、ニューメキシコのケリー鉱山では色鮮やかな葡萄状（ブドウの房のような形状）の皮殻や塊状で、アーカンソー州マリオン郡の鉛鉱では、黄色い縞模様を有する分厚い皮のような状態で発見され、ギリシャのラウリウムでは、様々な色の石が採掘されます。無色透明種は、ザンビアのブロークン・ヒルで採掘されています。このようにスミソナイトが多様な色を有するのは、様々な微量元素の含有ゆえです。緑から青といった色調をもたらすのは銅、コバルトはピンクから紫を付与し、カドミウムは黄色がかった色あいを、そして酸化鉄のインクルージョンは、茶から赤といった色調を付加しています。

カット、セッティング、価値：スミソナイトは、軟層あるいは塊から発見されるものがほとんどで、いずれも装飾用として利用され、通常はカボション・カットが施されます。結晶もときに発見されますが（ザンビア産の無色の結晶など）、これらはコレクター用としてのみファセット加工が施されます。アップル・グリーンから青緑が最も一般的な色ですが、最も高価で需要も高いのが、紫からラベンダー色です。スミソナイトは希少ですが、過度に高値をつけているわけではないので、コレクターが好んで集めています。

屈折率：	1.621-1.849
複屈折：	0.228
分散度：	0.037
比重：	4.3
硬度：	5
劈開：	三方向に完全
断口：	不平坦状
光沢：	真珠から樹脂
主要産地：	ナミビアのツメブ、ザンビア、米国ニューメキシコ、アーカンソー、アリゾナの各州、スペイン、ギリシャ、メキシコ
色：	アップル・グリーン、青緑、ラベンダー、紫、黄、無色

スミソナイト

ロードクロサイト

分類：炭酸塩鉱物

結晶系：三方晶系

化学組成：炭酸マンガン

晶癖：菱面体あるいは偏三角面体、湾曲した塊状のことも

ラズベリー・スパーともいわれるロードクロサイトは、カルサイトと同類の鉱物ですが、カルサイトがカルシウムを含有しているのにたいして、ロードクロサイトはマンガンを含んでいます。このマンガンが、ロードクロサイトならではのバラのようなピンク色を付与しているのです。この色は、希少な透明の結晶にも見られます。ほかの色あいは、鉄などの微量元素によるものです。名前は、「バラ色」を意味するギリシャ語からきています。ロードクロサイトの結晶は非常に美しいものの、比較的軟らかくて割れやすいため、日常使い用のジュエリーに加工されることはめったにありません。

属性および特徴：単一の結晶であれば、きれいな菱面体および、それほど多くはないものの、偏三角面体（歯を思わせる独特な形状の結晶）で発見されます。塊状の場合、ピンクと白の縞模様が驚くほど美しく、通常は半貴石のジュエリー加工に用いられます。カルサイトやドロマイトの中にも、マンガンかコバルトを少量含有している場合、ピンク色を帯びるものがあります。

カット、セッティング、価値：ジュエリー用には、ビーズ同様ファセット・カットも用いられることがあります（指輪用の石として使用するには軟らかすぎる鉱物ですが）。昔からきれいな石が出回ってはいるものの、非常に希少です。間違いなく、人気の高い石といえるでしょう。ファセット加工を施されたロードクロサイトのジェムストーンは大半が、薄いものから穏やかな色あいのものまで、様々なインクルージョンを含有しています。ほとんどの場合、結晶は5カラット以下で、10カラットをこえるアイクリーンの石（肉眼で見て、不純物などが見あたらないきれいな石）は、大きい石とみなされます。ファセット加工を施された最上質のロードクロサイトのジェムストーン、その最大の重さは90カラット以上です。アルゼンチン産は総じて不透明で、カボション・カットや彫刻が施されることが多いでしょう。スタラクタイト（鍾乳石）から産出するものは、蛇の目模様をいかした、珍しい円盤型にカットされることがあります。

屈折率：	1.600-1.820
複屈折：	0.220
分散度：	約0.025
比重：	3.50-3.65
硬度：	4
劈開：	三方向に完全
断口：	不平坦状
光沢：	ガラスから真珠
主要産地：	アルゼンチン、米国コロラド州、南アフリカ、ペルー、ルーマニア、ハンガリー、カナダ
色：	縞模様：ピンク、白、灰色、茶； 透明：ピンク、赤、オレンジがかった赤

ロードクロサイト

ルベライト

エルバイトあるいは リディコータイト・トルマリン

分類：珪酸塩鉱物（サイクロ珪酸塩）

結晶系：三方晶系

化学組成：複合ホウ珪酸塩

晶癖：両端が扁平な柱状、しばしば垂直に細い溝を有する

ルベライトはエルバイトあるいはリディコータイト・トルマリンの変種で、様々な色を帯びることがあります。ルベライトの場合、その色調は明るいピンクから深紅です。ルベライト（ドイツ語では"Rubellit"、スペイン語では"rubellita"）の名前は、「赤みを帯びた」という意味のギリシャ語"rubellus"に由来します。もちろん、ルベライト独特の色に言及した名前です。

属性および特徴：ルベライトは複合結晶体の珪酸塩鉱物（サイクロ珪酸塩）で、アルミニウムとホウ素、さらに少量のマンガンと鉄を含有します。リチウムも豊富です。通常は六方晶系（三方晶系）の柱状結晶で晶出して、長くのび、えてして垂直に筋が入ります。結晶は最長1メートルまで成長。火成岩および変成岩内で生成します。高温鉱脈内よりもペグマタイト（巨晶花崗岩）内で成長する結晶が最も美しいといえるでしょう。ルベライトは強い圧電性を有し（p. 154参照）、焦電気物質でもあります。つまり、加熱されると帯電するのです。ルベライトの結晶は、どこもかしこも簡単に割れてしまいます。比重は色に応じて異なり、たとえば赤いルベライトは、淡いピンクやごく薄い赤よりも比重が重くなっています。

カット、セッティング、価値：ファセット加工を施されたルベライトで最も入手しやすいものといえば、色を際立たせるために加熱処理、さらに（あるいは）放射線照射されたものでしょう。ブリオレットやステップ、カボションなどが、通常行われるカットです。ルベライト・トルマリンは、アイクリーンのほうがいいとされています。大きく、上質な石は価値も高くなります。

屈折率：	1.622-1.641
複屈折：	0.019
分散度：	0.017
比重：	3.03-3.05
硬度：	7-7.5
劈開：	なし
断口：	不平坦状から亜貝殻状
光沢：	ガラス
主要産地：	ブラジル、マダガスカル、モザンビーク、ナイジェリア、パキスタン、ロシア
色：	淡いピンクから深紅／紫まで

ルベライト

インディコライト
エルバイトあるいは
リディコータイト・トルマリン

分類：珪酸塩鉱物（サイクロ珪酸塩）

結晶系：三方晶系

化学組成：複合ホウ珪酸塩

晶癖：両端が扁平な柱状、
ときに針状あるいは繊維状のことも

インディコライトは、トルマリン鉱物エルバイトおよびリディコータイトの青い変種です。この名前は、その豊かな青い色で有名なマメ科コマツナギ属の草本を意味するラテン語に由来します。通常発見されるのは、北米、マダガスカル、ブラジル、ナミビア、アフリカ、オーストラリア、スリランカです。

属性および特徴：インディコライトは多色性——つまり、見る角度に応じて様々な色（あるいは明暗様々な色調）が現れます。透明から不透明で、火成岩および変成岩内で発見されますが、最もよく生成するのはペグマタイト内です。緑がかった明るい青から鮮やかな青、さらには深い藍色までと、ほとんどの青みを網羅していますが、本物のインディコライトは抜けるような青い色です。非常にきれいな石もありますが、中が空洞になっているチューブ・インクルージョンの含有が一般的で、キャッツアイも珍しくありません。

カット、セッティング、価値：ほかのトルマリン同様、インディコライトも美しくセッティングされ、ほぼすべてのタイプのジュエリーへの使用に、しっかりと耐えられます。最も一般的に用いられるのがステップ・カットです。購入の際には、その色が本物であることを必ず確認してください。インディコライトは、明るい色から濃い色まで、しっかり染色されていても不思議ではないからです。市場で売られている多くのジェムストーンが、本物ではありません。小さい石（1～8カラット）が一般的ですが、最大15カラットのものでも入手は可能です。大きくなればなるほど希少性も高くなっていきますが、重さ100カラットをこえるすばらしい石も、まったくないわけではありません。

屈折率：	1.622-1.641
複屈折：	0.019
分散度：	0.017
比重：	3.05-3.11
硬度：	7-7.5
劈開：	不完全
断口：	不平坦状から亜貝殻状
光沢：	ガラス
主要産地：	ブラジル、マダガスカル、ナミビア、米国、アフリカ、オーストラリア、スリランカ
色：	明るい青緑から藍まで

インディコライト

分類：珪酸塩鉱物（サイクロ珪酸塩）

結晶系：三方晶系

化学組成：複合ホウ珪酸塩

晶癖：通常は、等軸両錐柱状の
ガーネットの結晶に似る

1883年、トルマリン鉱物のグループに属する、それまで知られていなかった茶色い鉱物について、オーストリア人科学者チェルマックが報告しました。彼は、この鉱物がオーストリアを流れるドラヴァ川のすぐ近くから発見されたため、ドラバイトと名づけたのです。トルマリン・グループに属する、マグネシウムを多く含有する鉱物で、ペグマタイトや花崗岩、またある種の変成岩からも産出します。濃色種はショールと、小さいものはバーガーライトとしばしば間違われます。いずれもトルマリン鉱物種です。

属性および特徴：ドラバイトの生成状況は珍しく、薄茶から焦げ茶の結晶は、しっかり成長しても、その小さな錐角柱面が2センチメートル以上になることはめったにありません。発見された最長のドラバイトは、10センチメートルでした。ドラバイトは、ブラウン・ガーネットと間違われることがよくありますが、鉱物を精査すれば、その三方晶系の形と、この結晶に独特の錐面がわかるはずです。加熱処理によって、色を明るくすることができます。

カット、セッティング、価値：強い二色性を示すことから、より明るく、魅力的な色に見せるため、ドラバイトは結晶のテーブル面を伸長方向に平行にとってカットされます。ブリリアントとクッション・カットが一般的です。トルマリンは人気のある石で、その値段は色と透明度に応じて決まることが珍しくありません。ドラバイトは茶色で、不透明なものが多く、あまり人気もないことから、多くの石に比べて、ジェムストーンとしての価値はかなり低くなっています。

屈折率：	1.612-1.661
複屈折：	0.022-0.029
分散度：	0.017
比重：	3.06-3.40
硬度：	7-7.5
劈開：	不明瞭
断口：	不平坦状から貝殻状
光沢：	ガラス
主要産地：	ブラジル、スリランカ、米国、カナダ、メキシコ、オーストラリア
色：	薄茶から焦げ茶；緑のクロムドラバイトは関係あり

ドラバイト

アクロアイト
エルバイトあるいは
ロスマナイト・トルマリン

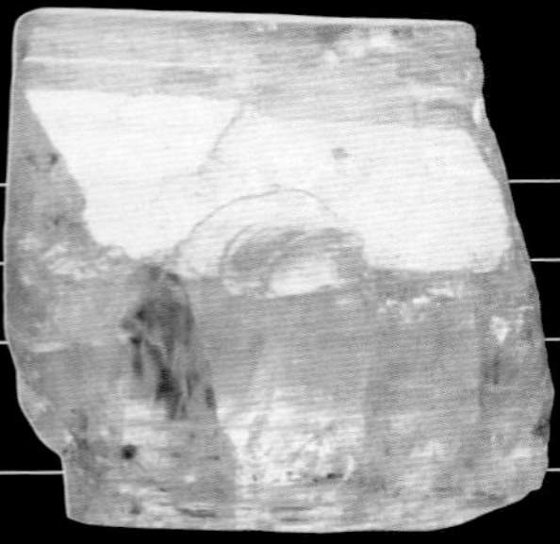

分類：珪酸塩鉱物（サイクロ珪酸塩）

結晶系：三方晶系

化学組成：複合ホウ珪酸塩

晶癖：両端が扁平な柱状、
しばしば垂直に細い溝を有する

アクロアイトは、トルマリンの希少な無色種です。ほとんどの場合、トルマリン・グループに属するエルバイトかロスマナイト種になります。トルマリン・グループの鉱物はすべて同形体で、非情によく似た物理的特性を共有しています。トルマリンの有する色は多様で、無色のアクロアイトからショール、さらにはそのほかの黒い種にいたるまで様々です。エルバイトはトルマリン・グループの別種で、その色調はとても幅広く、一方ロスマナイト種は通常無色になります。アクロアイトは、「色がない」という意味のギリシャ語"achroos"からその名前がきています。

属性および特徴：無色のトルマリンは非常に希少です。ごく薄いピンクのトルマリンを加熱処理すれば、無色にすることができます。しかしながらこの工程によって、結晶はさらに割れやすく、また小面の結合部も一段と摩滅しやすくなるでしょう。アクロアイトが最も一般的に産出するのは、花崗岩ペグマタイト（大きな粒からなる、花崗岩が最後に結晶化した部分）です。ほかのすべてのトルマリン同様、アクロアイトも、加熱されると結晶の両端で帯電します。アクロアイトは、結晶に電流が流れると振動します――圧電効果といわれるものです。

カット、セッティング、価値：この石は、そのままでジュエリーに用いられることはめったにありませんが、きちんとカットすれば、美しいジェムストーンに姿を変えます。アクロアイトはほかのトルマリン種といささか異なり、テーブル面を、結晶の伸長方向にたいして平行にも垂直にもカットすることができます。一般的なカットはブリリアントとミックスです。アクロアイトにはときに、透明な物質に囲まれた、色を帯びた斑点が見られることがあります。

屈折率：	1.622-1.645
複屈折：	0.013-0.024（おそらくこの領域の低い部位）
分散度：	0.017
比重：	約3.05
硬度：	7-7.5
劈開：	微弱、不明瞭
断口：	不平坦状から亜貝殻状
光沢：	ガラス
主要産地：	マダガスカル、英国コーンウォール州、イタリアのエルバ島、ブラジル、米国カリフォルニア州パラ
色：	無色

アクロアイト

ウォーターメロン・トルマリン
エルバイトあるいはリディコータイト

分類：珪酸塩鉱物（サイクロ珪酸塩）

結晶系：三方晶系

化学組成：複合ホウ珪酸塩

晶癖：両端が扁平な柱状、
しばしば垂直に細い溝を有する

この珍しい色あいの石はトルマリン種（通常はエルバイトおよび（あるいは）リディコータイト）で、独特な色のわかれかたがスイカ（ウォーターメロン）を思わせます——主に中心をなすピンクが「果肉」で、それを囲むように広がる緑が「皮」です。中心部から広がる色は、赤みを帯びたものからピンク、紫で、色と色の境目を区切るように白っぽい縞模様が見えることもあり、つづいて、「皮」に相当するオリーブ・グリーンの部位が展開していきます。ウォーターメロン・トルマリンが最もよく産出するのは、ブラジルとマダガスカルです。

属性および特徴：ウォーターメロン・トルマリンはリチウムの含有量が高く、ピンクと緑、それぞれの色をもたらすマンガンと鉄も少量有します。ペグマタイトから産出する結晶は、ひびが入っていたり割れていたりすることがままあります。最上質の結晶が産出した巨大な鉱脈瘤は、米国メイン州ニューリーにあるプルンバゴ・ジェムストーン鉱山で、1970年代初頭に発見されました。ウォーターメロン・トルマリンの色は天然のものです。

カット、セッティング、価値：この独特なジェムストーンは、コレクターのあいだで非常に人気があります。断面やその切片も含め、様々な形のものが入手可能です。最も人気が高い——したがって最も高値のジェムストーンは、色のはっきりとした大きなものになります。ファセット加工を施す場合、石の有する色ゆえに特に人気があるのがエメラルド・カットでしょう。ジェムストーンに長さがあればあるほど、やわらかなパステル・カラーの動きをよりはっきりと楽しむことができるからです。未精製の石も、精製されたカットストーンに負けずとも劣らない美しさを有しています。

屈折率：	1.622-1.641
複屈折：	0.019
分散度：	0.017
比重：	3.03-3.08
硬度：	7-7.5
劈開：	不完全
断口：	不平坦状から亜貝殻状
光沢：	ガラス
主要産地：	ブラジル、マダガスカル、米国
色：	中心部がピンク、両端が緑にわかれる。 色の境目に白い縞模様が見られることも

ウォーターメロン・トルマリン

分類：珪酸塩鉱物（サイクロ珪酸塩）

結晶系：三方晶系

化学組成：複合ホウ珪酸塩

晶癖：両端が扁平な柱状、しばしば垂直に細い溝を有する

鉄を多量に含有するショールは、トルマリン・グループの中でも最も一般的な種の１つです。ドイツのザクセンにある村にちなんで名づけられました。この村の近くにあるスズ鉱から、ブラック・トルマリンが大量に発見されたからです。この石がはじめて取りあげられたのは15世紀にさかのぼります。当時はビクトリア朝で、ショールは主に喪服用のジュエリーとして利用され、その魅力を発揮していました。ショールは現在、７大陸から産出しています。

属性および特徴：ショールは火成岩および変成岩の主要構成要素です。不透明すぎて、美しいジェムストーンにはむかないため、しばしば装飾用の石として利用されます。非常に大きく成長する結晶もあり、様々な結晶面を見せてくれます。細長い結晶はしばしばクォーツと共生し、トルマリン・クォーツという石をつくりだしていますが、この鉱物は、ショールのかわりに緑色のエルバイトの針状結晶を含有していることも珍しくありません。

カット、セッティング、価値：ビクトリア朝の英国では珍重されたものの、ありふれた鉱物のため、今日のジェムストーン市場では、人気があったとしてもごくわずかです。実際ショールという言葉は、「不要な鉱物」を意味する、ドイツの古い採掘関連用語なのです。ブリリアントやミックス・ファセット・カットが用いられることもありますが、珍しいでしょう。しかしながら、黒い不透明な石の人気が再燃してきていること、また、ポリッシング加工を施せばみごとな光沢を発することから（この点が、ジェットやオニキス、オブシディアンといった黒い石とは異なります）、ショールのジェムストーン市場における人気は、わずかながら高まってきています。

屈折率：	1.635-1.672
複屈折：	0.025
分散度：	0.015-0.020
比重：	3.15-3.22
硬度：	7-7.5
劈開：	不明瞭
断口：	貝殻状
光沢：	ガラスから樹脂
主要産地：	ブラジル、パキスタン、ナミビア、そのほか多数
色：	黒

パライバ・トルマリン
エルバイト

分類： 珪酸塩鉱物（サイクロ珪酸塩）

結晶系： 三方晶系

化学組成： 複合ホウ珪酸塩

晶癖： 結晶はめったに保存されない；母岩内に晶出する、紫の中心部から青紫へと広がっていくウォーターメロンの柱状結晶のように見えることも

パライバ（エルバイト）・トルマリンは、1989年ブラジルのパライバ州でエイトール・ディマス・バルボーザにより発見されました。「蛍光」や「電気性の」と表現される、独特な輝きを有します。色をもたらしているのは銅（ほかのトルマリンには含有されていません）とマンガンです。この銅とマンガンの相互作用により、深い青やターコイズ、紫といった、一風変わった色あいが生まれます。淡い灰色や青紫のものも発見されています。次いで含銅エルバイトが発見されたのは、モザンビークおよびナイジェリアです。ナイジェリア産の「パライバ」は色が薄く、通常はアクアブルーやミントブルー、淡い緑がかった青といった色あいです。色が最も多岐にわたっているのはモザンビーク産で、鮮やかな赤紫、濃紫、深い青、緑がかった青、アップル・グリーンがよく見られます。

属性および特徴： ほかのどんな透明な石もかなわない、鮮やかな色をまとったこの石は希少で、非常に人気があります。最も美しく、価値の高い色（目の覚めるようなターコイズ、緑、青）は高濃度の銅によってもたらされ、一方マンガンは紫や赤といったすばらしい色あいを生みだします。大きな結晶は、ブラジルの原産地では希少ですが、アフリカ産の「パライバ」ジェムストーンの結晶は、大きくなっていく一方です。アフリカの各地で、５カラットをこえる石がたくさん発見されていますし、50カラットの石も産出しています。

カット、セッティング、価値： 緑がかった青ほぼ一色という石は、紫の色あいを消すために加熱処理されたものです。ブラジル産パライバの鮮明な色がはっきりとわかるのは、ファセット加工が施されてからですが、それ以後であれば、どんなに弱い光の中でも、この石は美しく輝きます。パライバの鉱床は現在ほぼ枯渇していて、掘削も難しいことから、手掘りが主流となっており、結果としてこの石は非常に高価で、極めて希少な存在です。１カラットにつき５桁の値がつくのも、上質なものであれば珍しくありません。

屈折率：	1.622-1.641
複屈折：	0.019
分散度：	0.017
比重：	約3.05
硬度：	7.5
劈開：	不完全
断口：	不平坦状から亜貝殻状
光沢：	ガラス
主要産地：	ブラジルのパライバ州ミナ・ダ・バタルハおよびリオ・グランデ・ド・ノルテ州の２つの鉱山；ナイジェリアとモザンビークでも同様のトルマリンが産出
色：	エメラルド・グリーンからターコイズ、空色、蛍光青、藍、紫まで

パライバ・トルマリン

分類：炭酸塩鉱物

結晶系：斜方晶系

化学組成：炭酸カルシウム

晶癖：針状結晶、
層状の多結晶あるいは
六角柱状を思わせる双晶

アラゴナイトは炭酸塩鉱物で、カルサイトと同じ化学組成を有することから、カルサイトと同質異像の関係にあります。最初に発見されたのはスペインのアラゴン地方で、そこからこの名前もきています。アラゴナイトの結晶は非常に細く、しかも先細ですが、円柱状の塊や鍾乳石状、多結晶などの形も珍しくありません。通常よく目にするのは、白か無色、あるいはハチミツ色のアラゴナイトで、世界各地で発見されています。蛍光緑で有名な種もあります。銅を少量含有するアラゴナイトは、ほんのわずかに緑から青みがかった塊を形成します。

属性および特徴：アラゴナイトの化学組成は炭酸カルシウムですが、ストロンチウムや鉛、あるいは亜鉛を含有していることもよくあります。通常は温泉周辺の地域に堆積し、堆積岩や様々な鉱脈内から発見されます。またアラゴナイトは、真珠層の無機骨格をつくる主要鉱物でもあるのです（p. 278参照）。アラゴナイトの洞窟であるオクチンスカ・アラゴナイト洞窟は、スロバキアにあります。米国では、鍾乳石状のアラゴナイトがアリゾナ州ビズビーにある多くの洞窟から発見されています。一方、バハマの海底で見つかっているのは、魚卵状のアラゴナイトが堆積してできた巨大な塊です。

カット、セッティング、価値：タンブル加工されたものやポリッシュストーン、それにビーズ・カットを施されたものが最も一般的です。またこの石は、彫刻や彫像、ランプ、装飾品などにも広く用いられています。ごくまれに、無色透明あるいは薄茶のアラゴナイトが、コレクター用にファセット加工されます。

屈折率：	1.530-1.685
複屈折：	0.155
分散度：	0.226
比重：	2.93-2.95
硬度：	3.5-4
劈開：	一方向に明瞭
断口：	亜貝殻状
光沢：	ガラス
主要産地：	スペインのアラゴン地方、モロッコ、フランス、イングランド、スコットランド、米国カリフォルニア州、ドイツ、メキシコ、スロバキア
色：	白あるいは無色；ごく淡い赤、黄、オレンジ、茶、緑、青も珍しくない

アラゴナイト

分類：硫酸塩鉱物

結晶系：斜方晶系

化学組成：硫酸バリウム

晶癖：板状から柱状まで多様；
「バラ」の形も

バライト（ヘビー・スパーといわれることもあります）の名前の由来は、「重い」を意味するドイツ語"barys"にあり、この石の比重の高さを物語っています。バライトは硫酸バリウムの鉱物名で、長いあいだ、価値のない鉱物と見なされてきました。その評価が覆ったのが中世、加熱すると発光する種があるとわかってからです。それ以降この種の石は燐光を発する「ボローニャ石」と呼ばれています。

属性および特徴：天然のバライトは、板状、粒状、塊状などの結晶として発見されます。世界各地に存在し、鉛や亜鉛鉱物とともに鉱脈から産出することも珍しくありません。刃状あるいは板状の結晶はしばしば、外へと広がる同心円模様を形成します。これにより、結晶が花のように見えてくるのです。鉄によって赤い色を帯びると、こうした結晶は「デザート・ローズ（砂漠のバラ）」と称されます。結晶は、完全に不透明なものから透明なものまで様々です。紫外線下で蛍光を発することがあります。

カット、セッティング、価値：バライトはごく一般的な鉱物ですが、非常に印象的な結晶も産出します。しばしばほかの鉱物の随伴鉱物として用いられ、色鮮やかな結晶を引き立てる、魅力的な背景をつくりだします。バライトは軟らかくて割れやすいのみならず、密度も高くて二方向に完全な劈開もあるため、ジュエリーにはむきません。宝石質の結晶も発見されはしますが、カットされるのは概してコレクター用のみです。通常は、ステップあるいはミックス・カットを用いて加工されるか、ポリッシュストーンとして利用されます。バライトは、鉱物コレクターのあいだでは非常に人気が高く、良質なものは垂涎の的となっています。

屈折率：	1.636-1.648
複屈折：	0.012
分散度：	0.016
比重：	4.3-4.6
硬度：	3
劈開：	二方向に完全
断口：	不平坦状
光沢：	ガラスから真珠
主要産地：	米国オクラホマ、コネチカット、コロラドの各州、ドイツ、ロシア、英国、サルデーニャ、イタリア、モロッコ
色：	白あるいは無色、ときに緑がかったもの、黄みを帯びたもの、赤、青、黄褐色も

バライト

セレスタイト

分類：硫酸塩鉱物

結晶系：斜方晶系

化学組成：硫酸ストロンチウム

晶癖：板状から柱状結晶

セレスタイトの名前は、ドイツ語の"coelestis"からきていて、これは「天国のような」という意味ですが、セレスタイトが有する、様々な淡い空色の色調をさしています。セレスタイトはセレスティンともいわれます。はじめて発見されたのは1791年、ペンシルベニア州フランクスタウンで、ドイツ人鉱物学者A・G・ウェルナーによって報告されました。セレスタイトの青い色は、微量に含有するカリウムと、天然の放射能によるものです。

属性および特徴：セレスタイトの結晶は、板状か柱状であることが多く（バライトに似ています）、繊維状のものも発見されています。ごく淡い青の結晶は様々な地から産出していますが、特に有名なのが、マダガスカルの洞窟（晶洞：ジオード）から採掘されるものです。エリー湖に浮かぶ小島プット・イン・ベイにあるジオードから産出したものが、最大の結晶といわれています。ちなみに幅は45センチメートル、重さは136キログラムです。

カット、セッティング、価値：セレスタイトは間違いなく、鉱物コレクターに人気があります。淡黄色をともなった青いセレスタイトは、入手可能な鉱物の中で最も有名で美しい色の組みあわせの１つであり、非常に心惹かれる結晶です。完全な劈開を有し、軟らかくてもろいため、コレクター用にのみカットされます。通常はブリリアントかミックス・ファセット・カットです。

屈折率：	1.619-1.635
複屈折：	0.010-0.012
分散度：	0.014
比重：	3.97-4.00
硬度：	3.5
劈開：	二方向に完全
断口：	不平坦状
光沢：	ガラスから真珠
主要産地：	ナミビアのツメブ、米国ミシガン、ニューヨーク両州およびオハイオ州エリー湖一帯、マダガスカル、シチリア、ドイツ
色：	無色から青；黄、オレンジ、赤、赤褐色はごくまれ

セレスタイト

分類：炭酸塩鉱物

結晶系：斜方晶系

化学組成：炭酸鉛

晶癖：板状、立方晶系に似たもの、両錐体；「雪の結晶」状の双晶も

セルサイトは、評価の高いコレクターズ・ストーンで、リード・スパーともいわれます。名前は、「白い鉛」を意味するラテン語"cerussa"に由来します。しかしながら、インクルージョンゆえに実は様々な色を有しているのです。たとえば、黒や灰色の結晶は、ガレナ（硫化鉛）のインクルージョンを含有していますし、緑の結晶の色は、マラカイトによってもたらされています。また、クロム元素を含有したクロム・セルサイトは、鮮やかな黄色を帯びています。セルサイトは、ナミビアのツメブ鉱山から最も豊富に産出する、鉛の二次鉱物です。

属性および特徴：セルサイトは炭酸鉛鉱物で、通常は鉛鉱床の酸化帯から産出します。透明から不透明なものまであり、非常にもろい石です。セルサイトは、ガレナ（光沢のある青灰色の鉛鉱）の炭酸塩と重炭酸塩溶液の反応によって生成します。また結晶ができる際、多数の双晶をつくることから、複雑な幾何学模様や面白い星の形などが見られることで有名です。重要な鉛の鉱石で、世界各地から産出します。みごとな光沢は、主として多量に含有した鉛によるものです。非常に密度が高く、これは透明な鉱物にしては極めて珍しいことといえます。

カット、セッティング、価値：セルサイトは人気のある鉱物で、その高い密度とすばらしい光沢が有名です。双晶コレクターにとってセルサイトの双晶は、欠かすことのできないものでしょう。軟らかいために、ジェムストーンとしての利用にはむきませんが、しばしばコレクター用にブリリアント・カットが施されます。最も上質な無色透明の結晶は、ナミビアのツメブ産で、ここからは、最長60センチメートルにもなる、すばらしい透明の双晶も発見されています。大半の結晶が双晶ですが、数は少ないながら非双晶種もときには見られます。カットされた最大のセルサイトは、重さ約900カラット。このセルサイトは、カナダのトロント州にあるロイヤル・オンタリオ博物館に所蔵されています。

屈折率：	1.804-2.078
複屈折：	0.274
分散度：	0.055
比重：	6.46-6.57
硬度：	3.5
劈開：	二方向に明瞭
断口：	貝殻状
光沢：	ダイヤモンドからワックス
主要産地：	ナミビアのツメブ、コンゴ、モロッコ、オーストラリア、ドイツ、タスマニア、米国ユタ、ニューメキシコ、アリゾナの各州
色：	無色あるいは白；灰色、黄、青緑、黒も

トパーズ

分類： 珪酸塩鉱物（ネソ珪酸塩）

結晶系： 斜方晶系

化学組成： フッ素および（あるいは）
水酸基を含む珪酸アルミニウム

晶癖： 長柱状、通常は「のみ」状の先端を有する；
短柱状も

トパーズは、何百年も前からジュエリーに用いられてきました。琥珀から黄におよぶ天然の色はときに、価値の劣るシトリンと混同されることがあります。名前の由来はギリシャ語の"topazios"、紅海に浮かぶセント・ジョーンズ島の初期の名前であり、そこでかつて、黄色い石が採掘されたためです。現在その石は、シトリンあるいはオリビンだったと考えられています。また、「火」を意味するサンスクリット語の”tapas”からその名前がきている、という説もあります。ジェムストーンに加工されたトパーズの青い色は通常人工的なもので、透明な結晶に放射線処理を施してのち、加熱処理して着色されたものがほとんどです。

属性および特徴：トパーズは火成岩から産出しますが、小川や川の近くに堆積した沈殿物の中から、小石状で発見されることも珍しくありません。加熱すると、黄色いトパーズは往々にしてオレンジがかったピンクになります（天然のピンク・トパーズも中にはありますが）。ピンクや赤い色は、化学組成のアルミニウムがクロムに替わることでもたらされ、様々なオレンジは、クロムと色中心が誘因です。また、青、黄、茶のトパーズはすべて、色中心を有しています。トパーズは、天然に産出する最も硬い鉱物の１種であり、珪酸塩族中では最も硬い鉱物です。

カット、セッティング、価値：耐久性が高く、美しいジェムストーンで、ジュエリーに最適です。カボション、ビーズ同様、ブリリアントやクッション、ブリオレット、ステップ、ミックス・カットが施されます。現代の彫刻師の手によって、トパーズにはすばらしい彫刻やインタリオ加工が施されます。インペリアル・トパーズは、豊かなオレンジがかった黄色から橙褐色の色あいを有するトパーズをいい、トパーズの中でも最も価値のあるものです。天然のピンクや紫、バイカラーのトパーズも高い評価を得ています。このジェムストーンは、結晶もカット・ストーンも信じられないほど大きいことがよくあります。スミソニアン博物館にある結晶は、全長45センチメートル、重さ50キログラムです。コレクターは結晶、それも特に母岩に付着した結晶に高値をつけます。

屈折率：	1.609-1.637
複屈折：	0.008-0.010
分散度：	0.014
比重：	3.52-3.56
硬度：	8
劈開：	一方向に完全
断口：	亜貝殻状から不平坦状
光沢：	ガラス
主要産地：	パキスタン、メキシコ、ウクライナ、ブラジルのオーロプレト、ロシアのウラル山脈、米国カリフォルニア州サンディエゴ郡およびユタ州トーマスレンジ
色：	無色、黄、オレンジ、赤、青、緑

クリソベリル

分類：酸化鉱物

結晶系：斜方晶系

化学組成：ベリリウムとアルミニウムの酸化物

晶癖：板状あるいは縦に条線を有する短柱状；双晶の六角形

クリソベリルという名前は、ギリシャ語の「金」を意味する"chryso"と、「緑の宝石」の意の"beryl"からきています。ただし実際にはベリルではなく､それとは関係のないジェムストーン鉱物です。アレキサンドライトは、照射される光の種類に応じて色を変える、クリソベリルの非常に希少な種です（変色現象であって、多色性とは異なります)。太陽光およびそれに似た蛍光灯下では、ほぼエメラルド・グリーンで、白熱光および「暖色系」の蛍光灯下では赤紫になります。修飾語句をつけずにキャッツアイと称するときは、クリソベリルのキャッツアイをさします。

属性および特徴：クリソベリルは、ベリリウムとアルミニウムの酸化物です。単にクリソベリルと称されるジェムストーンは、レモン色からはちみつ色、あるいは柔らかい茶色がかった緑までと、様々な色調を有します。こうした色をもたらしているのは、鉄および（あるいは）バナジウムです。ほとんどが、ブラジル、スリランカ、タンザニアの宝石鉱床で発見されます。通常産出するのは、花崗岩、ペグマタイト、片石からです。また、ドロマイト・マーブルの接触変成鉱床からコランダムといっしょに、そしてフッ素含有スカルからも産出しています。クリソベリルはその大半が、川砂や砂利から採収されます。カットされていないクリソベリル結晶の特別な形は輪転双晶で、三連双晶といわれるもの――３つの結晶が、六角柱状に結合したもの――です。

カット、セッティング、価値：クリソベリル・キャッツアイは本当に希少です。クリソベリルはいずれも価値があり､非常に人気も高い石ですが、中でも特に、といえば、色の濃い、より大きい石でしょう。普通のクリソベリルは、ミックス、カボション、ブリリアントを含むファセット・カットが施され、キャッツアイはカボション・カットされます。ビーズやカービングも人気があります。アレキサンドライト、それも特にはっきりとしたカラーチェンジを見せるものは、ほかのクリソベリルよりもはるかに貴重です。また、キャッツアイ・アレキサンドライトもあります。

屈折率：	1.740-1.770
複屈折：	0.009-0.011
分散度：	0.015
比重：	3.64-3.75
硬度：	8.5
劈開：	一方向に明瞭、一方向に不完全
断口：	不平坦状
光沢：	ガラス
主要産地：	スリランカ、インド、ブラジル、マダガスカル、ロシア、タンザニア、ジンバブエ
色：	緑、茶、黄

アンダルサイト

分類：珪酸塩鉱物（ネソ珪酸塩）

結晶系：斜方晶系

化学組成：珪酸アルミニウム

晶癖：ほぼ角柱状の円柱結晶、あるいは塊状

アンダルサイトは美しく、希少なジェムストーンです。発見された地スペイン南部のアンダルシアにちなんで名づけられました。多くのアンダルサイトが、同じ１つの石の中に実に様々な色を有しています——強い多色性によるものです。珪酸アルミニウムの同質異像３つのうちの１つで、ちなみにあとの２つはシリマナイトとカイアナイトになります。いずれも、形成される条件下の圧力や温度は異なります。

属性および特徴：アンダルサイトは珪酸アルミニウム鉱物で、様々な変成岩、特に変質堆積物内に、比較的少量産出します。一方米国カリフォルニア州モノ郡イニョー山脈や、カザフスタン、南アフリカでは大量に発見されます。ほとんどの石が、ある種のインクルージョンを含有しており、最も一般的なのが針状ルチルです。ビリジン（アリゾナ産）といわれる大きな種に明るい緑色をもたらしているのはマンガンになります。

カット、セッティング、価値：長軸でカットした石（特にオーバル、マーキス、あるいはエメラルド・カット）はしばしば、中心近くに第１色が、そして両端にむかって第２色が見られます。スクエアやラウンド・カットの場合は、色が混ざるモザイク効果が頻繁に見られるでしょう。最も一般的なカットは、ブリリアントとバケットです。アンダルサイトの中でも、キャストライトといわれる半透明から不透明種は、十字形模様を描く、濃いインクルージョンを含有しています。こうした石は、主に十字架の象徴という理由から、カットおよびポリッシング加工を施されてのち、多くの国でお守りとして用いられています。魅力的で、硬度も高く、上質なジュエリーとしての使用に耐えうる強度も有していながら、アンダルサイトはいまだに、比較的有名とはいい難い石です。その結果、色の美しい、透明なジェムストーンでも、さほど高くはありません。カスタム・カットしたものや、珍しいインクルージョンを内包するジェムストーンは、やはり高価になってきます。

屈折率：	1.634-1.648
複屈折：	0.007-0.011
分散度：	0.016
比重：	3.15-3.17
硬度：	7.5
劈開：	一方向に明瞭
断口：	多片状
光沢：	ガラス
主要産地：	スリランカ、スペイン、ブラジル、ミャンマー、カザフスタン、南アフリカ、中国、ロシアのウラル山脈、米国アリゾナおよびカリフォルニア州
色：	茶、緑、黄が一般的；ピンクと紫も

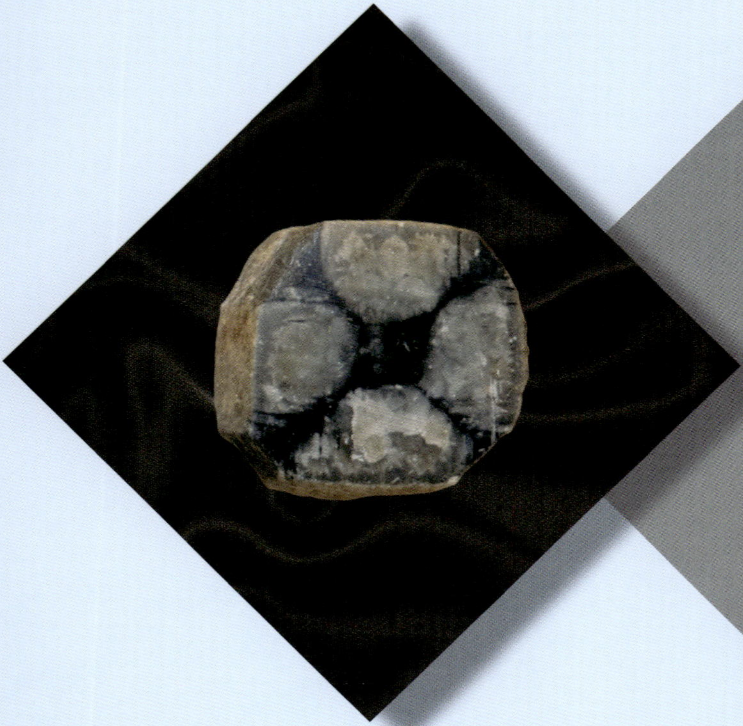

アンダルサイト

ダンブライト

分類：珪酸塩鉱物（対になった四面体構造の珪酸塩またはホウ酸塩を有する）

結晶系：斜方晶系

化学組成：カルシウムホウ酸塩

晶癖：柱状結晶、横断面は斜方あるいは正方形

1839年にコネチカット州ダンベリーではじめて発見され、化学者で鉱物学者のチャールズ・アパム・シェファード（1804-1886）によって報告されて以来、ダンブライトは日本、メキシコ、ミャンマー、マダガスカルで発見、採掘されています。無色から明るい黄色、あるいは淡いピンクからクリーミーな茶色がかった灰色といった色調を有します。ボリビアで発見されるのは、希少な青いキャッツアイです。強度があり、劈開が微弱で硬度も7と、ジュエリーに非常に適した石といえるでしょう。

属性および特徴：ダンブライトは、カルシウムとホウ素を有する、希少な珪酸塩鉱物です。結晶はトパーズのそれに似ていますが、ダンブライトの集晶は、透明で完璧なまでにすばらしく、コレクターに高い人気を誇っています。透明なクォーツにいくぶん似ているものの、ダンブライトはダイヤモンドのような横断面を有し、そのくさび形の先端は、クォーツの双尖六角柱と大きく異なります。多くが、長波紫外線下では鮮やかな空色の蛍光を、加熱されると赤い燐光を発します。大きな結晶（全長10センチメートルにおよぶものも）は、ニューヨーク州セントローレンス郡ラッセルの花崗岩内を走る岩脈から、カルサイトとともに発見されています。サイズは比較的小さいながら上質な結晶が産出しているのは、スイスのスコピ山とペータースタールです。またメキシコと日本では、非常に美しい結晶が採掘されています。

カット、セッティング、価値：ダンブライトは比較的よく目にする石ですが、大きく、ファセット加工が可能な結晶はまれです。また、ジェムストーン界ではいまだにほとんど知られていないため、大量生産される主要なジュエリー用の石とはいえません。けれど、コレクターのあいだでは人気が高まってきています。最も価値があるのは、より大きく、より透明で、上質なカットが施された石です。また、淡黄やピンクよりも無色のほうが、高い評価を得ています。通常はブリリアント、ステップ、あるいはミックス・カットが施されます。キャッツアイ・ダンブライトの場合は、カボション・カットです。

屈折率：	1.630-1.636
複屈折：	0.006
分散度：	0.017
比重：	3.00
硬度：	7
劈開：	1点微弱
断口：	亜貝殻状
光沢：	ガラスから脂肪
主要産地：	ミャンマー、日本、マダガスカル、ロシア、メキシコ
色：	無色、白、ピンク、淡黄から暗黄、黄色がかった茶、茶

ダンブライト

分類：珪酸塩鉱物（イノ珪酸塩）

結晶系：斜方晶系

化学組成：珪酸マグネシウム

晶癖：柱状、層状、あるいは塊状

エンスタタイトという名前は、「拮抗する」という意味のギリシャ語"enstates"からきています。かつては、吹管内で鉱物を溶解させてその化学組成を調べていましたが、このジェムストーンが、容易に溶解しなかったことに言及したものです。この石が最初に報告されたのは1855年、ドイツ人地質学者G・A・ケンゴットによってでした。ハイパーシーン同様パイロクシーン・グループの一種で、珪酸マグネシウム鉱物です。

属性および特徴：エンスタタイトが最もよく産出するのは変成岩か火成岩ですが、ある種の隕石からも発見されています。斜方晶系で晶出しますが、非常に高温では単斜対称構造に変化します（クリノエンスタタイトといわれるものです）。南アフリカで産出する鮮やかな緑（微量のクロムによります）のエンスタタイトは、クロム·エンスタタイトと称され、ジェムストーンとしてカットされます。ミャンマー北部ではウグイス色の石が発見されますが、このすばらしい石にはしばしば、みごとなキャッツアイ効果——ほぼ黒に近い地色に入った、オレンジから薄茶の細い線——が見られるのです。スリランカから産出する、無色や灰色がかったキャッツアイの石もあります。６条のスター効果を有する焦げ茶のエンスタタイトは、インドのマイソールで見られます。

カット、セッティング、価値：エンスタタイトはジェムストーン界ではさほど知られておらず、たいていは珍品扱いです。けれどジュエリー界で目にしないことはなく、カボション・カットされたキャッツアイ石や、ステップ・カットを施された石などが、通常はペンダントやイヤリングに用いられています。エンスタタイトは、きれいな形をした結晶が最も希少なため、おのずとそれが最も価値の高いものとなります。

屈折率：	1.650-1.673
複屈折：	0.009-0.010
分散度：	0.019-0.022
比重：	3.22-3.28
硬度：	5.5
劈開：	二方向に明瞭
断口：	貝殻状
光沢：	ガラスから真珠
主要産地：	スリランカ、ミャンマー、タンザニア、ケニア、ドイツ、ノルウェー、グリーンランド
色：	白、無色、灰色、茶、あるいは緑

エンスタタイト

シリマナイト

分類：珪酸塩鉱物（ネソ珪酸塩）

結晶系：斜方晶系

化学組成：珪酸アルミニウム

晶癖：柱状から針状結晶；
繊維状の塊

美しく希少なアルミノ珪酸塩鉱物シリマナイトは、２つの形状で発見されます。１つは透明なガラス性結晶、もう１つはつややかな繊維状です。繊維状のものは、ファイブロライトといわれることも珍しくありません。シリマナイトの名前は、アメリカ人地質学者にしてイェール大学の化学および鉱物学教授でもあったベンジャミン・シリマン（1779-1865）にちなんでつけられました。シリマナイトの色は、無色あるいは、白から灰色をへて茶までと様々です。黄緑や灰色がかった緑、青もあります。透明から半透明です。

属性および特徴：シリマナイトは、片麻岩や片岩、ホルンフェルスといった変成岩から発見される鉱物です。ごくまれにペグマタイトからも産出します。砕屑堆積岩から採掘されることも珍しくありません。シリマナイトは、ほかの２つの鉱物——カイアナイトとアンダルサイトの同質異像です。同質異像とは、化学組成が同じで結晶構造が異なる鉱物をいいます。シリマナイトの良質な結晶は珍しく、ほとんどの結晶は先端が欠けています。シリマナイトは、塊状で産出することもある鉱物です。

カット、セッティング、価値：透明な結晶は、しばしばジェムストーンに用いられます。けれど宝石質の結晶は非常に希少で、割れやすいために、ファセット加工も難しいといえるでしょう。クッション・カットが最も一般的ですが、通常はコレクター用にのみ施されます。シャトヤンシーを示すものもあり、それらはカボション・カットされます。

屈折率：	1.658-1.678
複屈折：	0.020
分散度：	0.015
比重：	3.14-3.28
硬度：	7.5（結晶）、6-7（塊状）
劈開：	一方向に完璧
断口：	多片状
光沢：	ガラス
主要産地：	ブラジル、ミャンマー、スリランカ、ケニア、米国
色：	無色、白、青、灰色、茶、緑

ハイパーシーン

分類：珪酸塩鉱物（イノ珪酸塩）

結晶系：斜方晶系

化学組成：鉄珪酸マグネシウム塩

晶癖：層状あるいは塊状；
柱状結晶のことも

ハイパーシーンはかなり一般的な鉱物で、通常は火成岩およびある種の変成岩から発見されます。さらには岩石および（あるいは）鉄隕石からも。この石に豊かな深い色あいをもたらしているのは鉄です。ハイパーシーンの名前は、「超越した強さ」という意味のギリシャ語に由来します。これは、よく間違われる鉱物ホーンブレンドよりも硬いという事実に言及したものです。

属性および特徴：ハイパーシーンは通常、劈開可能な層状の塊で晶出します。ジェムストーン、ハイパーシーンの色は大半が、ブロンザイトと称される濃いブロンズ色で、不透明なことと相まって、金属そっくりに見えます。深緑、茶、黒といった色も珍しくありません。石の表面にさび色あるいは銅色の光が認められますが、この効果は、良質な石ほど顕著に見られます。キャッツアイ石にカットされる石もよくあります（キャッツアイ効果は、石の中に一定の間隔で数多く配置されている、鉄あるいは酸化チタンの結晶によるものです）。1800年代中ごろ、キャッツアイ・ハイパーシーンは、カナダのラブラドル沿岸に浮かぶセント・ポール島からの産出にほぼ限られていました。

カット、セッティング、価値：色鮮やかで、5～10カラット程度の大きさ、そしてアイクリーンなジェムストーンは非常に希少です。シャトヤンシーまたはアステリズムを示す石は、カボション・カットされます。タンブル加工され、美しく磨きあげられた石は、コレクターのあいだで流行しているもので、そうしたジェムストーンには通常、クッションあるいはバケット・カットが施されます。ハイパーシーンは自然界に比較的豊富に存在しますが、ジェムストーンとしての使用は一般的ではなく、そのためにかなり安価になっています。

屈折率：	1.673-1.731
複屈折：	0.010-0.016
分散度：	弱い
比重：	3.4-3.5
硬度：	5-6
劈開：	二方向に完全
断口：	不平坦状
光沢：	ガラスから真珠
主要産地：	カナダ、米国ニューヨーク州、メキシコ、ノルウェー、ドイツ、南アフリカ
色：	灰色、茶、あるいは緑

ハイパーシーン

分類：珪酸塩鉱物（サイクロ珪酸塩）

結晶系：斜方晶系

化学組成：珪酸アルミニウム・マグネシウム

晶癖：通常塊状、柱状結晶も

アイオライトの名前は、「スミレ」を意味するギリシャ語"ios"からきています。スリランカの宝石砂利層から産出する石は、その青紫色から「ウォーター・サファイア」と称されることがあります。また、ダイクロアイト（「2色の石」の意のギリシャ語から）という名前でも知られています。これは、著しい多色性――見る角度に応じて、異なる色の光が現れる――によるものです。アイオライトは、コーディエライトといわれる鉱物のジェムストーン種になります。何世紀も前には、バイキングの船乗りたちがはじめて、アイオライトを偏光フィルターとして利用しています。それによって太陽の位置を測定し、安全な航海の道しるべとしたのです。

属性および特徴：アイオライトは青い珪酸塩鉱物で、結晶あるいは粒状で火成岩――アルミニウムの堆積物によってその純度を落としたマグマの遺物――内に産出します。そしてなにより、接触変成岩内にも。この魅力的な青紫の石は透明から不透明で、淡青、濃い紫青、さらにやわらかな黄色からなる、はっきりとした多色性を示します。宝石質のアイオライトが主に産出するのは、ミャンマー、マダガスカル、ブラジル、スリランカ、タンザニア、インド、ナミビア、カナダです。ブラッドショット・アイオライトといわれる石にえび茶色をもたらしているのは、赤みを帯びた酸化鉄のインクルージョンになります。

カット、セッティング、価値：価値を決する最も重要な要因は色で、青または紫といったテーブル面の色が濃ければ濃いほど、値段も高くなります。透明で色も鮮やか、みごとなカッティングが施された大きいアイオライトでも、黄褐色を有していれば、価値はさがるでしょう。通常はステップやミックス・カットで、カボションおよびビーズ・カットも施されます。色も美しく、ジェムストーンとしても人気ですが、さほど希少ではないため、手ごろに入手できます。

屈折率：	1.53-1.55
複屈折：	0.008-0.012
分散度：	0.017
比重：	2.57-2.66（すべて）；2.57-2.61（ジェムストーン）
硬度：	7-7.5
劈開：	一方向に相当
断口：	亜貝殻状
光沢：	ガラス
主要産地：	スリランカ、インド、マダガスカル、ミャンマー
色：	無色、青、淡紫色、青紫、まれに茶褐色

アイオライト

コーネルピン

分類：珪酸塩鉱物（対になった四面体構造の二酸化珪素を有する）

結晶系：斜方晶系

化学組成：含水ホウ珪酸塩

晶癖：柱状結晶、母岩内で通常不完全な形態

コーネルピンは1887年にグリーンランドのフィスカーネスで発見され、デンマークの地質学者であり探検家でもあったアンドレアス・ニコラウス・コルネルップ（1857-1883）にちなんで名づけられました。ジェムストーンのコーネルピンは大半が緑ですが、ジェムストーンではないものも産出していて、それらは人目を引く茶やピンク、黄色を帯びています。

属性および特徴：コーネルピンは、ホウ素の含有率が高く、変成作用をへた火成岩および堆積岩の双方から産出します。通常は宝石砂利から発見され、変成した斜長岩複合岩体からも採掘されます。コーネルピンは非常に強い多色性（角度に応じて異なる色が見える）を有し、結晶あるいはジェムストーンを光の中で回転させると、深い黄緑から茶褐色へと色が変わるのです。コーネルピンはしばしばベリルやペリドット、トパーズ、クォーツなどと間違われます。多くの良質な石が、スリランカから産出しています。シャトヤンシー（キャッツアイ効果）を示すこともときにあるでしょう。現在、美しい色のコーネルピンが発見されているのはマダガスカルになります。

カット、セッティング、価値：半透明の緑や黄色をまとったジェムストーンが、最も価値のあるコーネルピンです。鮮やかなエメラルド・グリーンのものは特に人気が高く、そのぶん目にすることも難しくなっています。コーネルピンは、主要な市場でジュエリー用にカットされるのはまれで、むしろコレクター用の石といえます。ファセット加工が施される際には、結晶の伸長方向にたいして平行にテーブル面をとったうえで、クッションあるいはバケット・カットが用いられるのが普通です。シャトヤンシーを示す部位は、カボション・カットが施されます。

屈折率：	1.665-1.680
複屈折：	0.013
分散度：	0.018
比重：	3.28-3.35
硬度：	6.5
劈開：	一方向に不明瞭
断口：	不平坦状
光沢：	ガラス
主要産地：	スリランカ、ミャンマー、ケニア、タンザニア、マダガスカル、カナダ、ネパール
色：	緑、黄緑、ウグイス色、黄褐色

コーネルピン

ペリドット
フォルステライト

分類：珪酸塩鉱物（ネソ珪酸塩）

結晶系：斜方晶系

化学組成：珪酸マグネシウム

晶癖：くさび形の両端を有するずんぐりした結晶、あるいは塊状

ペリドットは、クレオパトラが愛した宝石の１つであり、古代エジプトでは「太陽の宝石」と呼ばれていました。太陽をあがめていたエジプト人に、ことのほかたたえられていたことがわかります。ペリドットは、クリソライトという別名も有し、これは「金の石」を意味するギリシャ語からきたものです。ペリドットのほうは、「豊かさをもたらす」という意のギリシャ語"peridona"が由来とも、「不透明」との意味であるフランス語の"peritot"からきたともいわれています。これはおそらく、大きな石がくもるほどのインクルージョンに言及したものでしょう。ペリドットは、１色しか有さない、数少ないジェムストーンの１種です。

属性および特徴：ペリドットに色をもたらしているのは鉄で、化学組成におけるマグネシウムのおよそ12～15パーセントが置換されています。ペリドットのように、クロムやニッケルといった微量元素が、色に深みをもたらしはするものの、根本的な色を決しているのは組成の本質的な部分であるジェムストーンを、自色性鉱物といいます。1994年には、パキスタンで新たな鉱床が発見され、これまでに見たことがない最上の石が産出しました。ペリドットは、オリビン鉱物グループに属するフォルステライトの宝石変種です。この石が有する緑の中には、光沢のある、金色を帯びたライム・グリーンや、草を思わせる豊かな緑もあります。

カット、セッティング、価値：価値を決する最大の要因は色です――純度の高い緑が最も高価で人気もありますが、わずかに黄色をかんだものも高値をつけています。ジュエリー業界では、ペリドットはエメラルドの手ごろな代替品と考えられています。ペリドット・キャッツアイやスター・ペリドットはことのほか希少です。ペリドットは結晶の形に応じてカットされます。たいていは伝統的なテーブル・カットですが、ラウンドやオーバル、昔風の八面体カットも用いられます。最小の結晶は画一的な石にカットされますが、より大きなものは、華やかな創作品に利用されます。インクルージョンがある場合は、往々にしてみごとなその効果をいかすために、カボション・カットが用いられます。

屈折率：	1.654-1.689
複屈折：	0.036
分散度：	0.020
比重：	3.34
硬度：	6.5
劈開：	二方向にあり、一方向に良好、もう一方向に明瞭
断口：	貝殻状
光沢：	ガラスから油状
主要産地：	エジプトのザバルガット（セント・ジョーンズ島）、ミャンマー、パキスタン、ノルウェー；米国のハワイ、カリフォルニア、ニューメキシコ、アリゾナの各州
色：	黄緑から茶色がかった緑

分類：硫酸塩鉱物

結晶系：斜方晶系

化学組成：硫酸鉛

晶癖：縦に筋の入った、両錐長柱状；
そのほか多数

アングレサイトは、魅力的で希少な鉛鉱石です。はじめて鉱物種として認められたのは1783年、イギリスの植物学者、地質学者、医師、そして化学者でもあったウィリアム・ウィザリング（1741-1799）によってでした。ウィザリングはアングレサイトを、ウェールズの北西岸に浮かぶ島アングルシーにある、パリス銅山で発見したのです。アングレサイトという名前は、1832年、フランス人の地質学者にして鉱物学者でもあったフランソワ・スルピス・ビュダント（1787-1850）によって新たにつくられました。

属性および特徴：アングレサイトは、バライトやセレスタイトと同じ化学組成を有し、非常によく似た結晶を形成します。二次鉱物で、通常はガレナ（硫化鉛）鉱石内で晶出します。産出の際は、柱状の斜方晶系結晶や塊状です。サルデーニャのモンテポーニでは、ガレナの空洞がアングレサイトの結晶で覆われています。鉛から発見されるのは、ほとんどの場合単一結晶のみです。オーストラリアやメキシコのように、アングレサイトが大きな塊で産出し、鉛鉱床として採掘される場合もあります。最大級の結晶は、ナミビアのツメブで発見され、上質種はモロッコのミブラデンとトゥイシットから産出します。塊状のアングレサイトの中には、灰色と黒の縞模様を有するものがあり、それらは石を磨いたときや、カットして中をあけたときに見ることができるでしょう。こうした種にはしばしば、変質していないガレナが中心部に含有されています。これは、外層が変質してアングレサイトになっても、内部はそのまま変わることがない、という事実によるものです。

カット、セッティング、価値：アングレサイトは非常に軟らかく、劈開ゆえにカッティングも難しい石ですが、ファセット加工されたジェムストーンは、その高い屈折率と分散度から、驚くほど美しい仕上がりを見せてくれます。通常施されるのはステップ・カットです。より価値が高いのは、黄色い種になります。結晶は、コレクターのあいだで非常に珍重されています。

屈折率：	1.877-1.894
複屈折：	0.017
分散度：	0.044
比重：	6.30-6.39
硬度：	3
劈開：	一方向に良好、一方向に明瞭
断口：	貝殻状
光沢：	ダイヤモンド
主要産地：	ナミビアのツメブ、オーストラリア、メキシコ、モロッコ
色：	無色、白、黄；薄灰色、青、緑も

アングレサイト

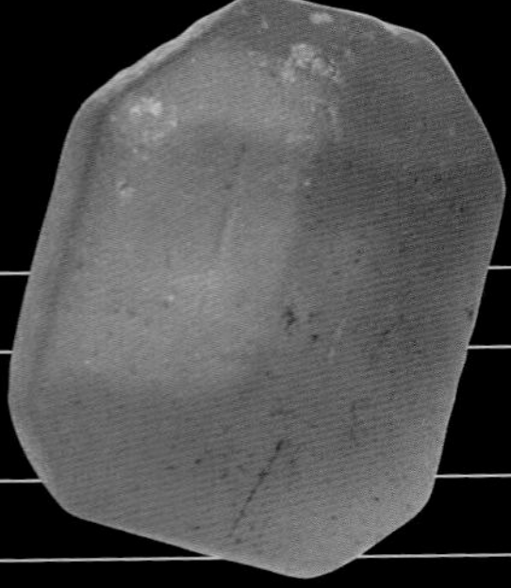

分類：炭酸塩鉱物（ホウ酸塩鉱物）

結晶系：斜方晶系

化学組成：マグネシウムと
アルミニウムのホウ酸塩

晶癖：立方に似た結晶

シンハライトは希少なジェムストーンで、通常は茶からウグイス色のものが産出しますが、黄色のものもあります。はじめて発見されたスリランカでは当初、ペリドットの茶色い変種と思われていました。鉱物と認められたのは、1952年、並外れて濃い色の種が発見されたときです。シンハライトという名前は、サンスクリット語の"sinhala"からきています。これは、セイロン島（現在のスリランカ）の名前です。

属性および特徴：シンハライトはマグネシウム、アルミニウム、ホウ素、酸素からなります。結晶は透明から半透明です。沖積鉱床から産出します。また、ガーネットやルビー、サファイア、ペリドットといったほかのジェムストーンとともに、宝石砂利から発見されることも。強烈な多色性を有し、見る角度に応じて、緑から薄茶、あるいは焦げ茶といった異なる色を示すものもあります。色をもたらしているのは鉄です。主としてスリランカから採掘されますが、タンザニア、ミャンマー、カナダ、米国、ロシアでも発見されています。スリランカ産にはきれいなくぼみがよく見られますが、これはエッチングによるものです。シンハライトがよく間違われるのがクリソベリル、ペリドット、トルマリン、ベスビアナイト、ジルコンですが、ジェムストーンとしての性質は、ペリドットのそれに非常によく似ています。

カット、セッティング、価値：通常ステップあるいはミックス・カットが施されるシンハライトは、ジュエリーにはうってつけの選択です。希少ですが、100カラットをこえるジェムストーンも発見されています。大きな需要もなく、希少でもあり、通常はコレクター用にのみカットされます。

屈折率：	1.667-1.711
複屈折：	0.038
分散度：	0.018
比重：	3.47-3.49
硬度：	6.5
劈開：	不明瞭
断口：	貝殻状
光沢：	ガラス
主要産地：	スリランカ、タンザニア、ミャンマー
色：	黄、深緑、ウグイス色

シンハライト

ハンバーガイト

分類：炭酸塩鉱物（ホウ酸塩鉱物）

結晶系：斜方晶系

化学組成：ベリリウムヒドロキシホウ酸塩

晶癖：柱状あるいは両錐体

ハンバーガイトは、無色、白、あるいはわずかに色を帯びた鉱物で、ベリリウムホウ酸塩からなります。1890年にはじめてこの鉱物を発見した、スイス人の鉱物学者にして地理学者でもあるアクセル・ハンブルグ（1863-1933）にちなんで、名づけられました。無色のものが最も一般的で人気も高く、特に、インクルージョンがないか、あってもほんの少しだけのきれいな石が支持されています。

属性および特徴：ハンバーガイトがはじめて発見されたのは、ノルウェー南部ですが、かなりのインクルージョンが見られたため、ジェムストーンには用いられませんでした。今日、最も上質な宝石質の石の産地といえば、マダガスカルのアンジャナバノアナでしょう。ミャンマーのモロからも良質な石は産出しますが、結晶は小さめです。2000年代には、パキスタンから手の平大の白い結晶が産出しています。ほかに、カリフォルニア州サンディエゴ郡ヒマラヤ鉱山からも採掘できます。ハンバーガイトは、斜方晶系の均一柱状結晶を形成し、ガラス光沢から艶のないものまであります。非常に高い複屈折率がありながら、その密度は、あらゆるジェムストーンの中で、判明しているかぎり最も低い数値になっています。クォーツに似ていますが、ハンバーガイトの高い複屈折によって、簡単に見分けることができるでしょう。

カット、セッティング、価値：ハンバーガイトは希少で珍しい、コレクター用のジェムストーンです。もろい結晶なのでジュエリーには適さず、通常はコレクター用にのみカットされます。一般的に施されるのはブリリアントかステップ・カットで、カットされた石はガラスのように見えます。

屈折率：	1.553-1.631
複屈折：	0.072
分散度：	0.015
比重：	2.35
硬度：	7.5
劈開：	一方向に完全、他方向に良好
断口：	貝殻状から不平坦状
光沢：	ガラスから艶なし
主要産地：	パキスタン、タジキスタン、アフガニスタン、マダガスカル、ミャンマー、インド、米国カリフォルニア州
色：	無色、灰白色、黄白色、白

ハンバーガイト

分類：珪酸塩鉱物（珪酸塩板）

結晶系：斜方晶系

化学組成：水酸基を持つ カルシウムとアルミニウムの珪酸塩

晶癖：球状集合体；まれに板状から鋭錐体結晶

プレナイトは、オランダ人鉱物学者ヘンドリク・フォン・プレーン大佐（1733-1785）にちなんで名づけられました。18世紀後半、南アフリカのイースタン・ケープ州クラドック地区にある、ジュラ紀のカルー粗粒玄武岩から発見されました。人名にちなんで名づけられた最初の鉱物として知られています。発光しているかと思うほど明るい緑色の鉱物で、多くの場合、みごとな光沢を有しています。通常は淡い黄緑から若草色ですが、灰色、白、無色の場合も珍しくありません。塊状のものは、彫刻に用いられることが多い蛇紋石と似ていることがままあります。

属性および特徴：プレナイトは、カルシウムとアルミニウムの含水珪酸塩鉱物です。通常は玄武岩や輝緑岩の割れ目にそって、空隙から発見されますが、火成岩やある種の変成岩からも産出します。概して、粗い（あるいは）結晶品質を有する分厚い外皮を形成します。明るい緑色の塊を目にすることができるのはスコットランドです。世界に埋蔵されているプレナイトのおよそ90パーセントはオーストラリアから発見され、通常は深緑かウグイス色の塊状になります。みごとな外皮を有する回転楕円体は、マリにある２カ所の産地から発見されていますし、カナダのケベックからは、様々な形の結晶が産出しています。それ以外の主な産地は、南アフリカ、インド、ドイツ、フランス、ニュージーランド、スイス、そして米国（ニュージャージー、コネチカット、バージニア、ペンシルベニア、カリフォルニア、コロラド、ミシガンの各州）です。

カット、セッティング、価値：プレナイトは通常おぼろな色をしているか繊維質で、半透明になります。希少で珍しいと見なされていて、ファセット加工（バケットかステップ・カットが一般的）かカボション・カット（特にキャッツアイ効果を示す場合、あるいははっきりとした面白いインクルージョンがあるとき）が施されることが珍しくありません。装飾品用に彫刻されることもあります。

屈折率：	1.61-1.64
複屈折：	0.030
分散度：	弱い（0.020未満）
比重：	2.80-2.95
硬度：	6
劈開：	一方向に明瞭
断口：	不平坦状
光沢：	ガラスから真珠
主要産地：	マリ、米国、カナダ、フランス、スコットランド、オーストラリア、中国
色：	緑、黄褐色、黄緑

プレナイト

ゾイサイト
タンザナイトを含む

分類：珪酸塩鉱物（ソロ珪酸塩）

結晶系：斜方晶系

化学組成：水酸基を持つカルシウムとアルミニウムの珪酸塩

晶癖：柱状結晶、しばしば複雑な両端を有する

ゾイサイトは、鉱物収集の派遣に資金を調達したスロベニア人の貴族、エーデルシュタイン男爵ジグムント・ツァイス（1747-1819）にちなんだ名前です。この鉱物は1805年にオーストリアのザオアルペ山脈で発見され、当初はザオアルパイトと呼ばれていました。1967年、タンザニアのキリマンジャロ山近くで、青から紫の透明種が発見されます。この種に与えられた名前がタンザナイトです。ピンクの種はチューライトといわれ（発見された地ノルウェーの古い名前に由来）、通常塊状になります。アニョライトは、明るい赤のコランダムを含有した、主に塊からなる、アップル・グリーンのゾイサイトにしばしば用いられる名前です。

属性および特徴：ゾイサイトは複雑な構成で、独立した四面体構造の珪酸塩と、対になった四面体群をともに有しています。柱状、斜方晶系結晶、あるいは塊状で産出し、変成岩およびペグマタイトから発見されます。紫や青のタンザナイトは、大半が加熱処理されたものです。採掘されたばかりの未精製石は黄褐色ですが、加熱されると青紫に変わります。タンザナイトの色はバナジウムによるものです。透明な緑の石の中には、バナジウムとクロムをともに含有しているものもあります。チューライトのピンクは、マンガンに起因します。緑とピンクのきれいな塊状のゾイサイトは、ジェードの代替品として利用されていました。

カット、セッティング、価値：透明なものはジェムストーンに加工されます（通常はステップ・カット）。ジュエラーは、透明なゾイサイトを、その色にかかわらずタンザナイトと呼びたがります。タンザナイトという名前のほうが、広く一般に知られているからです。半透明から不透明のアニョライトは通常、彫刻が施され、もろもろの芸術作品に姿を変えます。ゾイサイトは、カボションやカメオ・カットも施されます。タンザナイトは割れやすいため、普段使いの指輪の石として身につけるのはやめたほうがいいでしょう。

屈折率：	1.692-1.702（ジェムストーン種）
複屈折：	0.009
分散度：	0.018-0.020
比重：	3.10-3.38
硬度：	6
劈開：	一方向に完全
断口：	平坦状
光沢：	ガラスから真珠
主要産地：	タンザニア、パキスタン、米国ノースカロライナ州、オーストラリア
色：	灰色、黄褐色、緑がかったもの、ピンク（チューライト）、青から紫（タンザナイト）

ゾイサイト

分類：珪酸塩鉱物（ネソ珪酸塩）

結晶系：斜方晶系

化学組成：（マグネシウムあるいは鉄と）アルミニウムの水酸基を持つ珪酸塩

晶癖：柱状結晶、しばしば双晶

スタウロライトは、「妖精の石」「妖精の十字架」ともいわれます。自然に十字架の形で産出するからです。名前はギリシャ語の"stauros"（「十字架」の意）と"lithos"（「石」の意）からきています。特にキリスト教国では幸運のお守りと見なされ、何世紀も前から、魔よけとして身につけられています。

属性および特徴：スタウロライトはその双晶ゆえによく知られています。典型的な「透入双晶」で、２つの結晶が交わって成長しているように見えます。双晶は２種類——だいたい60度で交わるもの（最も一般的）と、ほぼ90度で交わるもの（最も高価）です。スタウロライトは、ホワイトマイカやアルマンディン、ガーネット、カイアナイトといった変成鉱物をともなって産出し、はっきりとした多色性を有します。色はえび茶、茶、黒で、産地はブラジル、ロシア、英国、フランス、イタリア、米国です。まれに、ジェムストーンへのファセット加工が可能なほどの透明度を持ったものがあります。こうした透明種は茶か緑で、やはり多色性です。

カット、セッティング、価値：ほとんどのスタウロライトは、カットせず、双晶結晶のまま用いられます。スタウロライトの十字架を模したものは広く出回っているものの、一般に粘土かセラミック製で、研磨目が見られます。ファセット加工が施されたスタウロライトは、非常に珍しいでしょう。明るい色で、なおかつファセット加工可能な大きさの美しい結晶そのものがまれな存在だからです。しかしながら、ファセット加工が施される場合には、バケットやステップ·カットが最も一般的です。また、カボションやカメオ・カットされるものもあります。

屈折率：	1.721-1.762
複屈折：	0.011-0.015
分散度：	0.023
比重：	3.65-3.79
硬度：	7-7.5
劈開：	一方向に明瞭
断口：	亜貝殻状
光沢：	ガラスから艶なし
主要産地：	米国テネシー、ジョージア、バージニア、モンタナの各州、ロシア、ブラジル、スコットランド、イタリア、フランス
色：	えび茶、茶、黒

スタウロライト

デュモルチェライト

分類：珪酸塩鉱物（ネソ珪酸塩）

結晶系：斜方晶系

化学組成：含水ホウ珪酸マグネシウム

晶癖：通常は繊維状から塊状；
ときに円柱状結晶

デュモルチェライトはホウ珪酸塩鉱物です。装飾用の石として利用されるのが最も一般的で、とくに塊状あるいはロック・クリスタル・クォーツを含有しているときにそれが顕著になります。デュモルチェライトは、硬い不透明のジェムストーンである場合がほとんどです。概して淡いデニム・ブルーですが、ピンクや紫、緑、茶も珍しくありません。またごくまれに、透明で赤褐色のジェムストーン品質ものが発見されています。デュモルチェライトが最初に認められたのは1881年、フランス人鉱物学者M・F・ゴナールによってでした。そして彼が、フランス人古生物学者ユージーン･デュモルチェ（1802-1873）にちなんで、デュモルチェライトと命名したのです。

属性および特徴：デュモルチェライトはアルミニウム豊富な変成岩からの産出も珍しくありませんが、たいていは接触変成地域あるいはペグマタイトから産出します。パイロフィライトという鉱物に変わることもあります。デュモルチェライト・クォーツといわれるクォーツの変種は、塊状の無色のクォーツで、内包しているデュモルチェライトの結晶によって青や緑を帯びます。デュモルチェライトは、ソーダライトやラズライト（青金石）、ラズライト（天藍石）といった装飾用の石と間違われることがあります。デュモルチェライトは、赤から青や紫に変わる多色性の鉱物です。長波紫外線下で青い蛍光を発するものもあります（短波紫外線下では白）。鉄とマンガンがアルミニウムと置換することで、様々な色がもたらされます。

カット、セッティング、価値：塊状のものは、透明度に欠けることから、ファセット加工を施しジェムストーンとして利用されることはありませんが、デュモルチェライトはその硬度と濃い色あいから人気があります。塊状のデュモルチェライトは彫刻が施され、カボションやビーズ、彫像、卵形、球などに姿を変えることも珍しくありません。透明な種は非常に希少ですが、発見されれば、問題なくジェムストーンとしてカットされています。

屈折率：	1.686-1.723
複屈折：	0.037
分散度：	強い
比重：	3.26-3.41
硬度：	8（塊状：7）
劈開：	一方向に良好、一方向に明瞭
断口：	繊維状
光沢：	ガラス
主要産地：	マダガスカル、フランス、スリランカ、ブラジル、米国アリゾナおよびカリフォルニア州
色：	青、紫、茶、ピンク、青緑、緑がかったもの

分類：燐酸塩鉱物

結晶系：単斜晶系

化学組成：ベリリウムナトリウム燐酸塩

晶癖：板状から短柱状結晶

ベリロナイトは希少なベリリウム鉱物で、これまでのところ、ごく限られた地からしか産出していません。1888年、アメリカ人地質学者ジェームズ・ドワイト・デーナ（1813-1895）——鉱物学界における最も権威ある学者の１人——によって報告され、ベリリウムを含有していることからこの名前がつけられました。米国メイン州ストーナムの花崗岩脈から破片状で発見された当初は、高度な複合結晶と考えられていました。最も一般的な共産鉱物は、フェルドスパー・グループ、スモーキークォーツ、ベリル、コルンバイトです。

属性および特徴：ベリロナイトは、板状から単斜晶系（斜方晶系に似ています）の結晶を有します。色は、完全な無色から淡いワラのような色、あるいはパステル・イエローまでと様々で、結晶は透明です。双晶もよく見られ、結晶はいろいろな形になります。ペグマタイト岩脈から産出し、フェルドスパー・グループのような、より一般的なペグマタイト鉱物としばしば間違われます。この希少なジェムストーンはこれまで、メイン州からのみ発見されていましたが、昨今はブラジルでも、美しい石が採掘されています。また、アフガニスタン同様石が産出してるのが、フィンランドとジンバブエです。キャッツアイ効果が見られることも珍しくありません。

カット、セッティング、価値：ベリロナイトは、ジェムストーンとしてカットされはするものの、ファイアも見られず、色も硬度もたりないため、人気のほどは今ひとつです。カットされ、ファセット加工（通常はクッション、ペア・シェイプ、あるいはブリリアント・カット）が施される結晶もあります。しかしながらクォーツほど屈折率が高くないため、ジェムストーンになってもことさら注目はされません。大半のカットはコレクター用です。キャッツアイ効果を示すものは、カボション・カットされます。

屈折率：	1.553-1.562
複屈折：	0.009
分散度：	0.010
比重：	2.80-2.85
硬度：	5.5
劈開：	一方向に完全、一方向に良好
断口：	貝殻状
光沢：	ガラス
主要産地：	米国メイン州、ブラジルのミナスジェライス州、アフガニスタンのヌリスタン州
色：	無色、白から淡黄

分類：燐酸塩鉱物

結晶系：単斜晶系

化学組成：水酸基を持つナトリウムと
アルミニウムの燐酸塩

晶癖：等軸結晶似あるいは「やり」の穂先状の結晶

ブラジリアナイトは希少であるとともに、ジェムストーンとして用いられる、数少ない透明な燐酸塩鉱物の一種という非常に珍しい石でもあります。はじめて発見されたのは、1944年、ブラジルのミナスジェライス州にあるコンセリェイロ・ペーナの近くです。当初はその色から、クリソベリルと思われていました。しかしながらくわしい研究の結果、この石には独特な晶癖があり、硬度も低いことがわかったのです。こうしてついに、ブラジリアナイトは新たな鉱物として認定され、最初に発見された国に敬意を表した名前がつけられました。

属性および特徴：ブラジリアナイトはフォルステライト（ペリドット）に似ていなくもありませんが、鮮やかな黄緑は一段と興味をそそるでしょう。燐酸塩の豊富なペグマタイトから発見されます。最大の結晶は、長さ12センチメートル、重さは最大2キログラム（1万カラット）です。米国ニューハンプシャー州では、小さめの結晶も採掘されています。小さい結晶の中には、無色のものもあります。

カット、セッティング、価値：ブラジリアナイトの価値は、色と明るさによって決まります。無色透明のジェムストーンは、濃い黄色や緑のものよりも価値はさがります。また、燐酸塩鉱物の仲間であるアパタイトよりも貴重とみなされています。結晶は割れやすくて非常にもろく、簡単にけずれてしまったり、劈開にそって割れてしまうため、カッティングは難しいといえるでしょう。けれどこうした石でも、宝石職人は慎重に、クッションやバケット、ブリオレット、ブリリアント、そして長方形のステップ・カットのジェムストーンへとファセット加工を施しているのです。ほとんどの石は5カラット以下ですが、19カラットや23カラットといった種も含めた大きな石が、カットされている場合もあります。

屈折率：	1.603-1.623
複屈折：	0.020
分散度：	0.014
比重：	2.94-3.00
硬度：	5.5
劈開：	一方向に良好
断口：	貝殻状
光沢：	ガラス
主要産地：	ブラジルのミナスジェライス州にあるコンセリェイロ・ペーナをはじめとする鉱山；米国ニューハンプシャー州ニューポートのスミス鉱山
色：	黄から緑

ダイオプサイド

分類：珪酸塩鉱物（イノ珪酸塩）

結晶系：単斜晶系

化学組成：カルシウムとマグネシウムの珪酸塩

晶癖：ほぼ正方形の横断面を有する柱状結晶

ダイオプサイドという名前は、1800年代にギリシャ語の"di-"（「2つの」の意）と"opsis"（「眺め」の意）からつけられました。これは、この石の多色性に言及したものです。ダイオプサイドの種に含まれているものとしては、クロム・ダイオプサイド（クロムの豊富なダイオプサイドで、深緑色が有名。ダイヤモンド・パイプから産出）、ビオラン（希少な塊状の青い種で、イタリアから発見されている）、キャッツアイ・ダイオプサイド（針状ルチルのインクルージョンを有する緑色の種）、スター・ダイオプサイド（4条のスター効果）があります。

属性および特徴：ダイオプサイドはカルシウムとマグネシウムの珪酸塩で、不純物を含有する変成した石灰岩や、隕石、火成岩である玄武岩からも産出します。ダイオプサイドは、ヘデンバージャイトやオージャイトといった鉱物を含むパイロクシン・グループに属する重要な系列の1つです。宝石質のダイオプサイドの主要採掘地は、シベリア、イタリア、スリランカ、ブラジル、マダガスカル、南アフリカ、パキスタンになります。中国も徐々に、タシュマリンといわれる明るい緑色を有するダイオプサイドの重要な産地になりつつあります。スターおよびキャッツアイ・ダイオプサイドは主としてインドから採掘される一方、クロム・ダイオプサイドが通常採掘されるのはシベリアのヤクーティア（サハ共和国）です。

カット、セッティング、価値：ダイオプサイドは、コレクター憧れの結晶を形成することがあり、いくつかの最も有名な産地から採掘されるものは、高価で非常に価値があります。ダイオプサイドは、コレクター用としてジェムストーンへとファセット加工されます（通常はブリリアント、バケット、ステップ・カット）。ポリッシング加工を施された、アステリズムやキャッツアイを示すものは、カボション・カットされます。入手可能なクロム・ダイオプサイドは、大半が小さなものです。大きいものは非常に希少です。スター・ダイオプサイドは一般に黒または黒緑色で、ラウンドあるいはオーバル・カボション・カットが施されます。

屈折率：	1.675-1.701（宝石素材）
複屈折：	0.026
分散度：	微弱から明瞭
比重：	3.23-3.33
硬度：	5.5-6
劈開：	直角の二方向に良好
断口：	貝殻状
光沢：	ガラス
主要産地：	ミャンマー、ロシア、スリランカ、インド、中国、マダガスカル、米国カリフォルニア州、ケニア、スイス
色：	無色、緑、茶、青、紫、白、灰色

ダイオプサイド

分類：珪酸塩鉱物（珪酸塩板）

結晶系：単斜晶系

化学組成：含水珪酸マグネシウム

晶癖：塊状、粘土のような瘤塊

メシャムは軟らかい白い鉱物で、セピオライトともいわれます。産出形態は小さく密集した塊状で、チョーク、あるいは土のように見えます。メシャムという名前の由来については、いまだに論争がつづいている状態です。主流は、「海の泡」を意味するギリシャ語から名づけられた、という考えですが、レバント人貿易商が用いていた"mertscavon"という言葉を語源とする可能性もあります。セピオライトのほうは、鉱物学者E・F・グロッカーにより、主として"sepia squid"（イカ）の骨を思わせることから命名されました。

属性および特徴：メシャムは不透明鉱物で、通常は淡色。白、灰色、クリーム色が最も人気です。割ると、貝殻状の断口を示すか、ほぼばらばらに砕け散ってしまいますが、硬い部分に繊維質を見ることもときに（ごくまれに）あります。硬度は非常に低く（約2）、釘でも簡単に傷がつきます。最も商業用に適したメシャムの産出地はトルコ——それも特にエスキシェヒルの平地です。沖積鉱床に晶出し、瘤だらけの不規則な塊状をなしたものが採収されます。ほかの産地は、ギリシャ、フランス、チェコ共和国、スペイン、モロッコ、米国です。

カット、セッティング、価値：メシャムは通常おしゃれなパイプ（葉巻用）に用いられます。また、水ギセルのマウスピースや、たばこ用のパイプ、飾りビーズ、箱（なめらかなものも彫刻が施されたものも）、小さな彫刻品（卵型やチェスの駒など）、シンブル（指ぬき）などにも使われています。軟らかいために彫刻がしやすく、彫刻材として人気です。彫刻されたものは釜で乾燥させ、しばしばワックスがかけられます。メシャムの彫刻品は信じられないほど精巧なものが多く、いずれも芸術品として高く評価されています。

屈折率：	1.53（スポット法）
複屈折：	適用不能
分散度：	適用不能
比重：	約 2，ただし乾燥したものは水に浮くことも
硬度：	2
劈開：	完全
断口：	貝殻状
光沢：	艶なしから土状
主要産地：	トルコ、ギリシャ、フランス、チェコ共和国、スペイン、モロッコ、米国
色：	象牙色、クリームイエロー、淡褐色、灰色、ピンクがかったもの、あるいは緑がかったもの

スポデューメン

分類：珪酸塩鉱物
（イノ珪酸塩）

結晶系：単斜晶系

化学組成：リチウムアルミニウム珪酸塩

晶癖：葉片状結晶、しばしば縦方向に溝を有する

スポデューメンは、透明から半透明のジェムストーンです。透明で、色鮮やかなスポデューメンは２種類――クンツァイトとヒッデナイトになります。名前の由来はギリシャ語の"spodoumenos"で、「燃えて灰になる」という意味です。乾燥した、灰を思わせる非宝石質の結晶に言及したものでしょう。命名は1800年、ブラジルの博物学者B・J・アンドラダ・イ・シルヴァ（1765-1838）によってです。クンツァイトという名前は、1902年にはじめてこの石について報告した、ニューヨークの鉱物学者にして宝石学者でもあるG・F・クンツにちなんでいます。ヒッデナイトは、1879年にノースカロライナではじめて発見したアメリカ人探鉱地質学者W・E・ヒドゥンにちなんだ名前です。

属性および特徴：スポデューメンは、リチウムアルミニウム珪酸塩からなります。様々な花崗岩やペグマタイトから産出する、造岩鉱物です。含有しているリチウムゆえに、スウェーデン、アイルランド、マダガスカル、ブラジル、メキシコ、カナダ、米国ノースカロライナ州で採掘されました。強い多色性を有しているため、カッティングの際には、石が最も深い色を見せる最高の面を確実にカットすることが要求されます。クンツァイトはマンガンが豊富で、それゆえ美しいピンクから藤色をまとうことができるのです。ただしこの色に耐光性はなく、色あせてしまいます。クンツァイトはヒッデナイト――ノースカロライナでのみ採掘される、クロムの豊富な緑の石――よりも一般的です。黄緑のスポデューメンは照射処理によって着色されていることが珍しくなく、ヒッデナイトと間違えないようにしなければなりません。

カット、セッティング、価値：スポデューメンは非常に軟らかいジェムストーンです。ペンダントへの使用には適していますが、指輪のような、石に硬度を求めるジュエリーにはむきません。ファセット加工（通常はブリリアント、ブリオレット、あるいはステップ・カット）が施されるのが一般的です。クンツァイトとヒッデナイトはともに、コレクターのあいだで非常に人気があります。

屈折率：	1.660-1.675
複屈折：	0.015
分散度：	0.017
比重：	3.17-3.19
硬度：	7
劈開：	一方向に完全、一方向に良好
断口：	多片状
光沢：	ガラス
主要産地：	ブラジル、アフガニスタン、パキスタン、米国
色：	白、無色、灰色、ピンク、藤色、紫、黄、緑

エピドート

分類：珪酸塩鉱物（ソロ珪酸塩）

結晶系：単斜晶系

化学組成：カルシウムとアルミニウムと鉄の珪酸塩

晶癖：長柱状、しばしば垂直な条線を有する

エピドートといえばその「ピスタチオ」グリーンが最も有名で、その色から、この塊状の鉱物はピスタサイトとも呼ばれています。エピドートの名前は、ギリシャ語の"epidosis"からきています。「付加」あるいは「増加」といった意味で、この鉱物の結晶面の中に、ほかの面よりも長いものがあるという事実にもとづいた命名であると信じられています。特に有名なエピドートは、アラスカのグリーン・モンスター山産です。インドやスリランカ、ブラジル産のものもよく知られています。クロム・グリーン種はトーモアイトといわれ、組成中のアルミニウムが最大11パーセント、クロムに置換されています。

属性および特徴：エピドートは珪酸塩鉱物グループの主要なもので、通常は低度石灰変成岩内に産出します。また、火成岩内にも見られますが、そこで発見されるのは、フェルドスパーやパイロキシン、アンフィボールといった鉱物から変成したものです。アルミノ珪酸カルシウムゆえに、エピドートはピスタチオ・グリーンの繊維状あるいは粒状の塊や、散在性の粒状、あるいは深緑の細長い結晶を形成し、いずれも一方向に完全な劈開を有します。ネソおよびソロ珪酸塩グループの鉱物がそうであるように、エピドートもまた非常に複雑な構造の鉱物です。強い多色性を有し、角度に応じて黄、緑、茶を見せます。また、クォーツ内にしばしばインクルージョンを形成します。

カット、セッティング、価値：エピドートは非常に一般的な鉱物ですが、コレクター用ジェムストーンとしては希少な存在です。その硬度と深い色あいにもかかわらず、貴重なジェムストーンとしてカットされたり磨かれたりすることがあまりないのは、ファセット加工可能な大きさを有する結晶にきれいなものが非常に少ないためです。クッションおよびステップが最も一般的なファセット・カットになります。

屈折率：	1.736-1.770（宝石素材）
複屈折：	0.034
分散度：	0.030
比重：	3.4
硬度：	6.5
劈開：	一方向に完全
断口：	平坦状
光沢：	ガラス
主要産地：	米国、スリランカ、インド、ミャンマー、マダガスカル、パキスタン、オーストリア、ノルウェー、スイス
色：	黄緑、深緑、茶がかった緑、深いクロム・グリーン、黒

分類：珪酸塩鉱物（ネソ珪酸塩）

結晶系：単斜晶系

化学組成：カルシウムとチタンの珪酸塩

晶癖：くさび状結晶、ときに双晶

チタナイトは、チタンを含有していることから命名されました。スフェーンとも呼ばれています（晶癖が通常くさび状であるため、ギリシャ語でくさびを意味する言葉からきています）。一般的にジェムストーンは緑か黄緑ですが、ほかのほぼすべての色をまとう可能性があります。

属性および特徴：チタナイトは、分散度がダイヤモンドよりも高いため、ジェムストーンは非常にきらびやかで、はっきりとしたファイアも見られます。強い多色性も有しています。透明な石の評価を高めているのは、その強い三色性で、３色の存在は、石本来の色に応じて変わってきます。チタナイトは、火成岩や、片岩、片麻岩といった変成岩の随伴鉱物として産出します。双晶もよく見られ、パキスタン産の結晶はほぼ常に双晶です。チタナイト産出地は、メキシコ、ブラジル、カナダ、米国、スリランカ、マダガスカル、スイス、イタリア、パキスタン、ロシアなど、世界各地に広がっています。鉄とアルミニウムの微量不純物は、ほとんどいつも見られるでしょう。インクルージョンにより、シャトヤンシー効果を示す石もあります。クロム･チタナイトの濃い緑色は、クロムによってもたらされています。

カット、セッティング、価値：マダガスカルは、ファセット加工に一段と適した結晶の産地で、10カラットのカット・ストーンも簡単に入手できます。チタナイトの黄緑は、ジェムストーンの中でも最高級のものであることがままあり、カッティングの際には必ず、精巧な回転式円盤研磨器が用いられます。熱心なコレクターのあいだで人気なのが、ブリリアント、バケット、そしてミックス・カットです。シャトヤンシー効果を示すものは、カボション・カットが施されることも珍しくありません。

屈折率：	1.885-2.050
複屈折：	0.105-0.135
分散度：	0.051
比重：	3.52-3.54
硬度：	5.5
劈開：	一方向に明瞭、二方向に不完全
断口：	亜貝殻状
光沢：	ダイヤモンドから樹脂
主要産地：	スリランカ、インドのタミルナードゥ、パキスタン、ブラジル、マダガスカル、メキシコ
色：	茶、緑、黄

オーソクレース

分類：珪酸塩鉱物（テクト珪酸塩）

結晶系：単斜晶系

化学組成：珪酸アルミニウム
カリウム

晶癖：短柱状あるいは板状結晶；
塊状も

オーソクレースという名前は、ギリシャ語の"orthos"（「垂直」の意）と"klasis"（「割れる」の意）からきています。これは、この石の２つの劈開が直角に交わっているという事実に言及したものです。フェルドスパー・グループに属します。このグループの鉱物は世界中で見うけられ、ジェムストーンのムーンストーンやアマゾナイト、ラブラドライト（スペクトロライト）などもこの仲間になります。オーソクレースはカリウムの豊富なフェルドスパーです。

属性および特徴：オーソクレースは、形成されるときの温度に応じて異なる３つの結晶構造——オーソクレース、マイクロクリン、サニジン——からなります。オーソクレースは、ほとんどの花崗岩およびほかの火成岩の一般的な構成要素で、ペグマタイト内からしばしば塊状のものや大きな結晶が発見されます。片岩や片麻岩といった変成岩からも産出します。双晶も非常によく目にします。無色透明のオーソクレースは主としてマダガスカル産です。スリランカやミャンマーの宝石砂利からも産出し、キャッツアイやアステリズム効果を示すものもあります。透明種に見られる黄色は、鉄によるものです。

カット、セッティング、価値：その硬度から、オーソクレースはジュエリー、それも特にペンダントやイヤリング、ブローチに適しています（指輪はのぞく）。通常はブリリアントおよびミックス・カットが施されます。シャトヤンシーを示していれば、カボション・カットです。鉱物は世界中から産出するものの、ジェムストーンに適した結晶は少ないといえるでしょう。

屈折率：	1.522-1.527
複屈折：	0.005
分散度：	0.012
比重：	2.56
硬度：	6
劈開：	一方向に完全、他方向に良好
断口：	不平坦状
光沢：	ガラス
主要産地：	マダガスカル、スリランカ、ミャンマー
色：	無色、黄

オーソクレース

ムーンストーン
オーソクレース

分類：珪酸塩鉱物（テクト珪酸塩）

結晶系：単斜晶系

化学組成：珪酸アルミニウムカリウム

晶癖：短柱状あるいは板状結晶；塊状も

ムーンストーンはオーソクレース・フェルドスパーの一種で、適切な角度から見ると、白から青白色の閃光を呈します。この光彩のやわらかなきらめきが月光を思わせることから、ムーンストーンと呼ばれているのです。光彩そのものはシラーあるいはアデュラレッセンスといわれ、フェルドスパー構造におけるアルバイト（珪酸アルミニウムナトリウム）の平行な層に起因しています。アデュラレッセンスという名前は、アデュラリアからきたものです。このアデュラリアは、青白色の光彩を示す、無色透明のオーソクレース（本来はスイスのアデュラー・バーグストック産のもの）をさしています。

属性および特徴：オーソクレースは、火成岩、深成岩、変成岩から造岩鉱物としては産出しますが、ムーンストーンとしてはまれです。アデュラリアは、低温熱水鉱床から発見されます。ムーンストーンは様々な色あいを有しますが、ほとんどは青白色です。微視的特性のインクルージョンは、ジェムストーンの中では小さなイモムシのように見えます。ミャンマー産のポリッシング加工を施されたムーンストーンは、シャトヤンシー効果を示すことがあります（反射光の細い縞が、キャッツアイ効果をもたらすのです）。何色もの光彩を有する種はレインボー・ムーンストーンといわれ、カルシウム豊富なプラジオクレース・フェルドスパーと関係があります。

カット、セッティング、価値：ジェムストーンとしてのムーンストーンは、その美しさから、高い評価を受けています。大きく、上質な石は希少ですが、概して安価です。ある種のもの——特に、より大きく、より青みがはっきりしている石は、コレクターから非常に珍重されています。最上質で、最も人気が高いのは、スリランカ産です。青い光彩を有し、透明度もほぼ完璧に近く、本体の色はほとんど無色のものが、ムーンストーンとしては最高です。クッション・カットが施されることがありますが、特にアステリズムかシャトヤンシー効果を示す場合は、カボション・カットが用いられます。カメオ・カットも人気です。

屈折率：	1.520-1.525
複屈折：	0.005
分散度：	0.012
比重：	2.56-2.59
硬度：	6
劈開：	一方向に完全、他方向に良好
断口：	不平坦状
光沢：	ガラス
主要産地：	スリランカ、ミャンマー、インド、ブラジル、マダガスカル、米国、タンザニア、スイス
色：	無色から灰色、茶、黄、緑、あるいはピンクで、白から青の光沢を有する

ムーンストーン

分類：珪酸塩鉱物（ネソ珪酸塩）

結晶系：単斜晶系

化学組成：ベリリウムと
アルミニウム水酸基の珪酸塩

晶癖：複雑な両端を有する、平らな柱状結晶

ユークレースは、色も硬度もベリルに似ている、希少な鉱物です。あまり有名ではありませんが、多くのコレクターに人気があります。最初に報告されたのは1792年、ロシアにあるウラル山脈の南に位置するオレンブルグです。ユークレースという名前は、フランス人鉱物学者ルネ＝ジュスト・アユイ（1743-1822）により、「よく割れる」との意味を有するギリシャ語"euklastos"にちなんで名づけられました。これは、その強い劈開に言及した名前といえるでしょう。通常は、美しい透明な結晶として産出します。色は、無色から、明るい緑や青まででです。

属性および特徴：ユークレースは、花崗岩ペグマタイトから、トパーズや様々なベリルといったほかの鉱物とともに産出するのが最も一般的です。ユークレースはその結晶形から簡単に識別でき、通常間違われるのは、随伴鉱物のバライトや、空色のセレスタイトくらいです。母岩から分離し、下流に流されていったユークレースが、漂砂鉱床から金とともに発見されることもときにあります。ユークレースは、巨大な繊維質の集合体も形成します。

カット、セッティング、価値：形のいい結晶がときに、ジェムストーンとしてカットするにたる透明度を有していることがあります。ジェムストーンは概して、独特なサファイア・ブルーや青緑色をしていて、通常最も人気があります。良質種はコレクター垂涎の的です。その強い劈開ゆえに、カットは難しいといえるでしょう。ファセット加工が施される場合、ステップ・カットが最も一般的です。ジンバブエ産は、その均一な色づきから、珍重されています。希少ゆえに、良質な石にはおのずと高値がついてきます。

屈折率：	1.652-1.672
複屈折：	0.020
分散度：	0.016
比重：	3.10
硬度：	7.5
劈開：	一方向に完全
断口：	貝殻状
光沢：	ガラス
主要産地：	ジンバブエ、ブラジルのミナスジェライス州、ケニア、タンザニア、ロシアのウラル山脈、コロンビア
色：	無色、青緑、青

分類：珪酸塩鉱物（イノ珪酸塩）

結晶系：単斜晶系

化学組成：珪酸アルミニウム
ナトリウム

晶癖：塊状（拡大下で連結結晶）；
まれに角型結晶

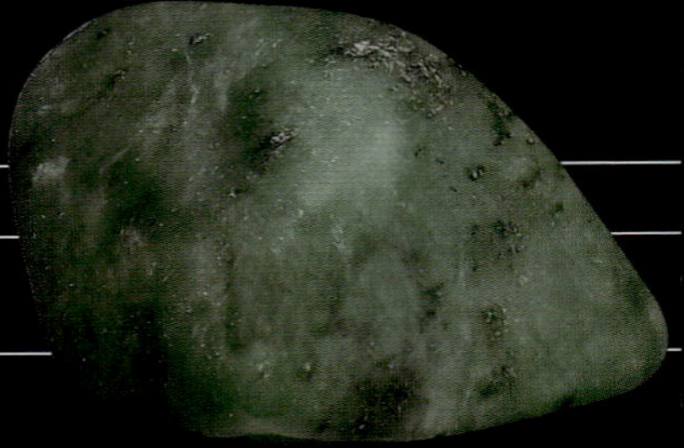

ジェードといわれる、ジェイダイトのジェムストーン種鉱物は２種類。ジェイダイトはそのうちの一種です。もう１つはネフライトで、これはトレモライトの一種になります。両者は、1863年に異なる鉱物学的特性を有していると発見されるまで、同一鉱物と考えられていたのです。名前の語源は、「腰の石」の意のスペイン語で、この石が、腎臓結石など様々な腎臓の病気を治療できると信じられていたことに言及したものです。装飾用の石として、中央アメリカでは何世紀も前から、また中国やインドでも1700年代から用いられてきています。

属性および特徴：ジェイダイトは、変成いちじるしいナトリウム豊富な蛇紋石から産出します。色を決するのは、含有微量元素。エメラルド・グリーンの誘因はクロム、それよりも鈍い緑や黄、茶は鉄に起因し、ラベンダーはマンガンによります。１つの石でありながら、様々な色や半透明の部分を有するものがよく見うけられます。中央アメリカのジェイダイトは、ダイオプサイトを構成要素として含有していることが珍しくありません。ジェイダイトとネフライトの中間に位置する、（非常によく似た）鉱物オンファサイトは、ジェードとはみなされません。

カット、セッティング、価値：ジェイダイトは、ネフライトよりも希少で高価です。概して最も価値の高い色は濃い緑で、半透明種になります。インペリアル・ジェードといわれる、エメラルド・グリーンが最も高価です。ジェードの美しい彫刻作品を生み出している中国の人びとは昔から、白を貴重な色と考えています。ジェイダイトは、カボションおよびビーズ・カットが施されます。無傷のジェードの塊から彫りだされるジュエリーもあります。このようなジェムストーンから同じく彫りだされるのが、様々な装飾用の彫刻作品です。茶色がかったジェイダイトは、酸に浸してのち、高分子注入加工が施されることも珍しくありません。こうしたジェイダイトは、Ｂジェードといわれます。染色したジェイダイトや、ジェイダイトを模倣した染色クォーザイトが、天然色のジェードと混同されることがままあり、高くつく間違いを引き起こしています。

屈折率：	1.654-1.667;1.66（スポット法）
複屈折：	0.013（通常不可視）
分散度：	産地に応じて、0から非常に強いものまで様々；測定困難
比重：	3.30-3.36
硬度：	7
劈開：	良好、ただし認められるのはまれ
断口：	多片状
光沢：	ガラスから脂肪
主要産地：	ミャンマー、ロシア、中国、カザフスタン、トルコ、グアテマラ、米国カリフォルニア州
色：	白、緑、藤色、赤褐色、黄、灰色から黒

ジェイダイト

ネフライト
ジェード

分類：珪酸塩鉱物（イノ珪酸塩）

結晶系：単斜晶系

化学組成：カルシウムとマグネシウムの含水珪酸塩

晶癖：塊状（拡大下でフェルト状に見える）

ネフライトは、硬く強い、交差繊維からなるアクチノライト／トレモライトの１種です。ジェードといわれる２種類の鉱物の１つで、もう１つは、ジェイダイトになります。ネフライトはジェイダイトに比べて産出量が多く、したがって安価です。非常に頑丈な鉱物なので、はるか昔には、斧や刀、棍棒といった、いわゆる武器として利用されていました。ネフライトの名前は、「腎臓の石」を意味するラテン語"lapis nephriticus"に由来します。この石は昔、腎臓にまつわるもろもろの症状緩和のため、よく身につけられていたのです。

属性および特徴：ネフライトの構成要素は、カルシウム、マグネシウム、珪素、水素、酸素と、マグネシウムと置換した鉄です。玉石は一般に、茶色い層で覆われています——含有している鉄の酸化によるものです。色は、鉄の含有量に応じて決まります。白、クリーム、黄、灰色といった明るい色は鉄の含有量が少なく、暗灰色や緑は逆に含有量が多くなります。ネフライトはアンフィボール（造岩鉱物の重要なグループの仲間）の１種ですが、その繊維質構造のため、むしろカルセドニーに似た特徴を有します。ていねいにポリッシング加工が施されることで、表面がガラスのようにつややかになります。

カット、セッティング、価値：宝石質のネフライトは、採収されるもののうちのごくわずかしかありません（１パーセント以下）。それ以外は、彫刻や建築材（ベニヤやラミネートが人気です）に用いられます。ビーズやポリッシュ・ストーンも一般的です。中国語でジェードは"yu"といいます。これは、彫刻に適した硬い素材、という意味で、その結果東洋では、多くの彫刻に適した石がジェードと混同されることが珍しくなく、購入の際には注意が必要です。

屈折率：	1.600-1.641
複屈折：	0.027
分散度：	弱い
比重：	2.90-3.02
硬度：	6.5
劈開：	二方向に完全
断口：	多片状
光沢：	ガラスから脂肪
主要産地：	ロシア、中国、ニュージーランド、オーストラリア、カナダ、米国アラスカおよびワイオミング州
色：	緑、黄褐色、クリームがかった茶、灰色、黒

マラカイト

分類：炭酸塩鉱物

結晶系：単斜晶系

化学組成：銅の水酸化炭酸塩

晶癖：層状の曲線的な外皮を形成する
繊維状あるいは針状結晶

マラカイトは不透明な石です。縞模様を有します。縞の色調は、非常に明るい緑からほぼ黒に近い緑までと多彩です。縞模様は曲線を描いていたり、角度を有していることが珍しくありません。この鉱物は、ブルー・アズライト同様、銅の炭酸塩です。名前の由来はギリシャ語の"malache"。「ゼニアオイ」(大きな緑色の葉を有するアオイ科の植物の仲間)という意味で、その色に言及した名前といえるでしょう。

属性および特徴：密着した母岩から針状に広がる結晶を形成することもあれば、ほかの鉱物の仮像（仮晶）を形成することもあります。それより多く見られるのが、均等に配された、緑の濃淡で描きだす曲線状の縞模様を有する塊状です。また、分厚い板状、大きな瘤状、緑の外皮状など、様々な形でも晶出します。彫刻可能な塊状が最もなじみのある形である一方、結晶性の形状は一段と珍しいといえるでしょう。マラカイトは通常、銅の青い二次鉱物であるアズライトと共産します。マラカイトは力強い緑色なので、色は異なるものの、特性は非常によく似ていて、2つの鉱物の凝集体はしばしばいっしょに発見されます。鉱物試料には、緑のマラカイトと青のアズライトが交互に織りなす縞模様が見られることがあります。けれど、アズライトにくらべてマラカイトの方が一般的で、ほとんどの場合、炭酸塩の源である石灰岩に付随した銅鉱床から発見されます。

カット、セッティング、価値：マラカイトは、その特徴的な縞模様を際立たせるため、往々にしてカボション・カットが施されます。ビーズ・カットされたり、彫刻されたり、象眼細工に用いられることも珍しくありません。アズロマラカイトのような共生鉱物とともにカットされることもあります。また、クリソコーラをともなったマラカイトもときに見られます。マラカイトのタンブル・ストーンは、非常に人気があると同時に、よく目にするものです。

屈折率：	1.655-1.909
複屈折：	0.254
分散度：	比較的弱い
比重：	約3.8
硬度：	4
劈開：	一方向に完全、他方向にも明瞭（結晶）
断口：	不平坦状
光沢：	ガラスから絹糸
主要産地：	ロシア、ザイール、オーストラリア、南アフリカ、ザンビア、米国アリゾナ州、中国、メキシコ
色：	緑、青緑、黄緑、黒緑

マラカイト

クリソコーラ

分類： 珪酸塩鉱物（珪酸塩板）

結晶系： 単斜晶系

化学組成： 含水銅珪酸塩

晶癖： 塊状；針状結晶も

クリソコーラは通常、鮮やかな緑あるいは青みを帯びた皮のような形状で産出します。名前の由来はギリシャ語の"chrysos"（「金」の意）と"kolla"（「はんだ」あるいは「にかわ」の意）で、これはかつてギリシャで、この石が金をはんだづけする融剤として用いられていたことに言及したものです。この言葉は紀元前315年、ギリシャの哲学者テオフラストスによってはじめて使われました。「ジェム・シリカ」（クリソコーラに限定されることもある）は、クリソコーラの混ざったカルセドニーです。

属性および特徴： クリソコーラは青緑の含水銅珪酸塩で、微量の鉄と酸化マンガンを含有することもあります。概して銅鉱体の端から、皮のような形状や岩脈を充填するような形で発見されます。ジェム・シリカは、ガラスを思わせる葡萄状あるいは丸みを帯びた塊状で産出します。クリソコーラは、マラカイトやトルコ石、アズライトと混合することがままあり、実際、しばしばトルコ石と間違われるのですが、その原因の1つが両者の有する色なのです。アカバ湾から産出する、クリソコーラとマラカイトとトルコ石の混合石は、エイライト・ストーンといわれます。黄色から赤褐色のジャスパーにクリソコーラが混ざった石は、「パロット・ウィング」ジャスパーといいます。デミドバイトは、燐酸塩を含むクリソコーラで、ロシアにあるウラル山脈のニジニ・タギルスクから産出します。クリソコーラは、銅鉱床のある地であればどこからでも発見されます。たとえば、米国南西部、チリ、ザイール、オーストラリア、フランス、英国などです。

カット、セッティング、価値： 純度100パーセントのクリソコーラは、ジュエリーに用いるには軟らかすぎますが、瑪瑙のようにすることで、ポリッシング加工してのちカボションやビーズ・カットを施せるだけの充分な硬さを付与することができます。パロット・ウィング・ジャスパーは希少で、多くの宝石通の人気を集めています。半透明で、色むらのない、上質なジェム・シリカには高値がつきます。

屈折率：	1.460-1.570
複屈折：	0.130
分散度：	0.017
比重：	2.00-2.45
硬度：	2-4、クォーツ内の連晶の場合高くなる
劈開：	不明
断口：	貝殻状から多片状
光沢：	ガラスから艶なし
主要産地：	米国ニューメキシコおよびアリゾナ州、ロシア、チリ、ペルー、ザイール
色：	空色、青緑、緑

アズライト

分類：炭酸塩鉱物

結晶系：単斜晶系

化学組成：炭酸水酸化銅

晶癖：複雑な先端を有する柱状結晶；
層状の皮のような結晶も

アズライトは藍色の銅鉱物で、銅鉱床の風化により産出します。この石に特徴的な色を付与しているのが銅です。フランスのリヨン近くにあるチェッシー鉱山産のものは、チェッシーライトといわれます。アズライトという名前は、青を意味するペルシャ語からきています。

属性および特徴：アズライトは、ガラスを思わせる、藍色の板状から柱状の結晶としての産出が最も一般的です。結晶は透明ですが非常に色が濃く、塊状のものは不透明です。色があまり濃いため、大きな結晶は黒く見えることもあります。アズライトはしばしばマラカイトと共産します。アズライトにおけるマラカイトの占める割合の高い石は、アズロマラカイトといわれます。アズライトの主要産地は以下の各地です――ナミビア、アリゾナ、ニューメキシコ、メキシコ、オーストラリア、中国、フランス、モロッコ、ギリシャ、サルデーニャ、ロシアのウラル山脈。

カット、セッティング、価値：アズライトは、ビーズやカメオ、また装飾用の石としても用いられることがあります。けれどその軟らかさゆえに、使用範囲は限られています。カボション・カットされることがあり、さらにごくまれにファセット加工が施されることもあります。みごとな集晶や瘤状のもの、マラカイトとの組み合わせが独特なものは、コレクターにとって欠かせないものです。タンブル加工を施されたアズライトは、その色を際立たせることができ、結晶は非常に高い人気を誇ります。美しい外観と強度を増すため、アズライトは透明ワックスでコーティングされることがまれにあります。さらには、プラスチックを含浸させることすらあります。

屈折率：	1.730-1.840
複屈折：	0.110
分散度：	比較的弱い
比重：	3.77-3.89
硬度：	3.5-4
劈開：	一方向に完全、他方向に明瞭
断口：	貝殻状
光沢：	ガラスからワックス
主要産地：	米国アリゾナ州、ナミビア、モロッコ、フランス、オーストラリア、ロシアのシベリア
色：	明るいものから暗いものまで青みがかったもの

アズライト

サーペンティン

分類：珪酸塩鉱物（珪酸塩板）

結晶系：単斜晶系

化学組成：水酸基を持つ
マグネシウムの珪酸塩

晶癖：通常塊状

サーペンティンは、マグネシウムの含水珪酸塩からなります。通常は緑、黄緑、青緑で、白っぽいぼやけた斑点をともないます。ときに赤から茶色、黄、さらには黒といった色あいで産出することもあります。サーペンティンはヘビにその名が起因しますが、これは外見がヘビの皮に似ているからです。この石はときに、不適切ながら、「ニュー・ジェード」や「ヤング・ジェード」と称されることがあります。これは、この石を長期間地面に放置しておけば、ネフライトに変わるという中国の言い伝えによるものです。

属性および特徴：サーペンティンは、多くの変成岩や風化した火成岩から産出します。サーペンティンというのは、同質異像グループ（化学組成が同じで結晶構造が違う鉱物）に属する数種類の関連鉱物すべて——アンチゴライト、リザーダイト、オーソクリソタイル、パラクリソタイル、クリノクリソタイル——に相当する名前です。クリソタイルはアスベストを形成しますが、ガンの危険性から使用が禁止されています。塊状で産出するアンチゴライトとリザーダイトは、ジェムストーンに加工されます。黄緑、深緑、青緑の半透明種は、ボーウェナイトといわれます。この種は、ほかのサーペンティンよりも硬度が高いのが特徴です。ブルーサイトの白っぽい縞目を有する緑の種（ペンシルベニア産）は、ウィリアムサイトといい、縞模様を有する、きれいな粒状の半透明種は、リコライトです。サーペンティンの硬度は常に光沢に比例します。

カット、セッティング、価値：サーペンティンは彫刻や掘りこみに適した石で、美しく磨きあげられます。中国では、装飾用の石として高値がつけられています。ロシアのサーペンティンはウラル山脈産で、その濃い色にまだら模様が見られ、収集価値の非常に高い石です。繊維状のインクルージョン（アスベストの可能性があり、注意が必要）により、シャトヤンシー効果をはじめ様々な模様を示す石もあり、それらはカボション・カットされます。サーペンティンは安価です。半透明になればなるほど、価値も高くなります。ジェードと表示されるサーペンティンにはくれぐれも注意してください。

屈折率：	1.56（スポット法）
複屈折：	なしから0.002
分散度：	弱い
比重：	2.56-2.62
硬度：	2.5-6
劈開：	一方向に良好から完全、塊状は無関係
断口：	繊維状から不平坦状
光沢：	ガラスから脂肪
主要産地：	インド、パキスタン、ニュージーランド、中国、 米国カリフォルニア州、英国コーンウォール州
色：	緑、黄緑、青、黄、赤褐色、茶、黒

フォスフォフィライト

分類： 燐酸塩鉱物

結晶系： 単斜晶系

化学組成： 亜鉛と鉄の含水燐酸塩

晶癖： 分厚い板状および「のみ」状の結晶、「魚尾状」双晶

フォスフォフィライトは非常に希少な鉱物で、亜鉛と鉄の含水燐酸塩からなります。名前の由来は２つ。１つは化学組成に含まれている燐酸塩からで、もう１つは、ギリシャ語の「葉」を意味する"phyllon"から。これは、この鉱物の完全な劈開に言及したものです。この石は、魅惑的な青緑色と、珍しい結晶形でよく知られています。

属性および特徴：最上のフォスフォフィライトはボリビア産で、スズの豊富な熱水鉱床中に一次沈殿物として産出します。実際に宝石質の結晶が産出するのは、ボリビアのポトシ市にあるユニフィカダ鉱山だけです。最初にここのクラウゼ岩脈で宝石質の結晶が発見されたのは1950年代ですが、以来、その魅力と質に匹敵する結晶は、１つとして発見されていません。ドイツとニューハンプシャーでは、フォスフォフィライトは一次鉱物――キャルコパイライトとトリフィライト――の変質物として発見されています。これらの地や、そのほか重要性の薄い地から産出する結晶は、小さく、魅力にも欠けます。ボリビア産の結晶は、分厚い板状で産出する傾向にあり、長さが13センチメートルにもおよぶことがあります。フォスフォフィライトは、短波紫外線下では、紫の蛍光を発します。双晶、それも特に「魚尾状」双晶がよく見られます。フォスフォフィライトは透明です。

カット、セッティング、価値：フォスフォフィライトは昔から、魅力的な鉱物の中でも究極のものと考えられています。コレクターによって驚くほどの高値がつけられ、非常に希少でもあるからです。（コレクター用をのぞいては）めったにカットもされません。もろく、割れやすいからで、大きな結晶の場合はたんに、割るには貴重すぎるからです。ボリビア産のものが、このジェムストーンの中では最もすばらしいとみなされていて、これに対抗できるものはまずないでしょう。ファセット加工が施される場合は、ブリリアントとステップ・カットが最も一般的です。青緑色が１番人気があります。ほとんどのものが、鉱物のままの状態で保持されています。

屈折率：	1.595-1.621
複屈折：	0.026
分散度：	0.012
比重：	3.1
硬度：	3.5
劈開：	一方向に完全、二方向に明瞭
断口：	不平坦状
光沢：	ガラス
主要産地：	ドイツのハーゲンドルフ、ボリビアのポトシ
色：	青緑、無色、明るい緑

フォスフォフィライト

分類：岩石

結晶系：単斜晶系

化学組成：クロムの豊富な岩石

晶癖：コスモクロアやアナルシム
などの粒を有する粒状の岩石

マウシッシは、緑色の希少な装飾用岩石で、深緑から黒の脈状の縞模様を有します。白い斑点が見られることもあります。マウシッシが発見されたのは1960年代初期、ミャンマーのカチン州にあるトーモーからでした。ここは、ミャンマーの東にある、歴史的に有名なインペリアル・ジェード鉱山の近くです。当初は、この岩石を採掘した現地の人々がマウシッシと呼んでいました。それがはじめて正式に登録されたのは1963年、スイス人宝石学者エデュアルド・グベリン（1913-2005）によってです。

属性および特徴：ラピスラズリ同様、マウシッシは岩石で、鉱物ではありません。様々な鉱物から形成されています。クロムの豊富な変成岩で、目の覚めるような緑の地色に、大小いろいろな黒の斑点、縞や渦巻きの模様を有します。主な鉱物はコスモクロア、クロム酸ナトリウムのパイロキシンです。ほかにも、クロムの豊富なジェイダイト、クロムを含有したアンフィボール、アルバイト、アナルシム、クロマイトを含有しています。クロムの高い含有率が、この岩石に鮮やかな緑色をもたらしているのです。マウシッシの産地は、発見された地のみになります。この岩石は不透明です。

カット、セッティング、価値：この宝石質の岩石は希少なため、概して銀よりも金の台座にセッティングされることが多くなっています。しかしながら、どちらの金属の色にもよく映えますし、コレクターの中には、さらに高価なプラチナにセットした石を所有している人もいます。ファセット・カットは決してされませんが、一般にカボションかビーズ・カットが施されます。希少であるということはつまり、通常はコレクター用にのみカットされる、ということです。

屈折率：	1.52-1.74
複屈折：	なし
分散度：	該当なし
比重：	2.46-3.15
硬度：	6
劈開：	該当なし
断口：	貝殻状から不規則
光沢：	ガラスから脂肪
主要産地：	ミャンマー
色：	黒および白をともなう、色むらのある明るい緑

ラズライト

分類：燐酸塩鉱物

結晶系：単斜晶系

化学組成：水酸基を持つ
マグネシウムと
アルミニウムの燐酸塩

晶癖：鈍角から鋭角までの両錐体

ラズライトは、美しい希少な鉱物で、昨今コレクター間での人気が高まってきています。1795年、オーストリアで鉱床が発見されたのちにはじめて報告されました。名前の由来は、「青」を意味するペルシャ語"lazhward"です。ラズライト（青金石）やラピスラズリ、アズライトと間違えられることが珍しくありません。

属性および特徴：ラズライトはマグネシウムとアルミニウムの燐酸塩で、比較的低温で生成します。色と強い多色性（見る角度に応じて様々な色を示す）は、化学組成のマグネシウムが鉄に置換したためです。透明な結晶は深い青を有しています。より一般的なのは、内包され、明るい青を有する結晶です。粒状のものもあります。ラズライトは、珍しい燐酸塩鉱物スコルツァライトと固溶体を形成します。固溶体は、自由に置換しあう、２種類以上の鉱物の組み合わせのことです。マグネシウムの豊富なラズライトから、鉄の豊富なスコルツァライトまでが、ラズライト・スコルツァライト系列鉱物に含まれます。ラズライトの透明な結晶は強い多色性を有し、黄色がかった色から無色、さらには青までの色を示します。

カット、セッティング、価値：ユーコン準州を流れるラピッド・クリークからは、最高品質のラズライトが産出します。ラズライトはほとんどの場合、装飾用の石や、希少鉱物の見本として用いられます。良質な石がインドで産出してはいるものの、特に豊富というわけではありません（特にファセット加工可能な石）。ファセット加工を施された上質な石は希少で、数カラットをこえるものはことのほか数が少なくなっています。適切な石が見つかれば、色鮮やかな深い青のジェムストーンを供給できます。通常はカボション・カットです。

屈折率：	1.615-1.645
複屈折：	0.030
分散度：	弱い
比重：	3.1-3.17
硬度：	5.5
劈開：	二方向に不明瞭
断口：	不平坦状
光沢：	ガラス
主要産地：	カナダのユーコン準州、インド、オーストリア、スイス、ブラジルのミナスジェライス州、米国ジョージアおよびカリフォルニア州
色：	濃い瑠璃色から明るい藍色あるいは淡い空色

分類：酸塩鉱物（イノ珪酸塩）

結晶系：単斜晶系

化学組成：含水カルシウムとホウ素の珪酸塩

晶癖：結節性の塊状

ハウライトは、白く軟らかい不透明の石で、黒または灰色のインクルージョンを有します。1868年にノバスコシアのウィンザーではじめてこの石を発見したカナダ人地質学者ヘンリー・ハウにちなんで、名づけられました。いまだにここから産出はしていますが、以前に比べ産出量は激減しています。ハウライトは、その美しい仕上げ研磨で有名です。トルコ石の模造品として、青く染色されることがよくあります。

属性および特徴：ハウライトは蒸発岩鉱床から、ほかのホウ酸塩鉱物とともに産出します。ハウライトの産地はカナダ（ノバスコシア、ニューファンドランド、ニューブランズウィックの各州）と米国の西海岸沿い（特にカリフォルニア州）です。ハウライトは、カリフラワーによく似た瘤を形成します。この瘤がしばしば、クモの巣状に広がる黒または茶の縞模様とともに、独特な外観をもたらしているのです。瘤の上部に、半透明の結晶が晶出することもあります。しかしながらこれは非常に珍しく、通常はノバスコシアから採掘されるものにしか見られません。ハウライトは、短波紫外線下で黄褐色またはオレンジの蛍光を発することがあります。

カット、セッティング、価値：ハウライトは安価なジェムストーンです。非常に軟らかく、浸透性が高いことから、簡単に染色して、トルコ石のようにより高価な石に似せることができるのです（右ページの写真が染色した石）。大きなサイズが豊富で、軟らかいこともあり、ハウライトはちょっとした彫刻品やジュエリーの一部といった装飾用品としての利用に秀でています。ハウライトはまた、採掘されたままの状態で市場に出回りますが、その際、「ホワイト・トルコ石」（リン酸アルミニウム鉱物のアルナイトもこう呼ばれます）や「ホワイト・バッファロー（トルコ石）」「ホワイト・バッファロー・ストーン」といった誤った名称を付加されることがあります。ビーズとして彫刻されたり、カボション・カットが施されます。

屈折率：	1.59（スポット法）
複屈折：	0.022
分散度：	なし
比重：	2.5-2.6
硬度：	3.5
劈開：	不明
断口：	貝殻状
光沢：	艶なし
主要産地：	米国カリフォルニア州、カナダのノバスコシア
色：	灰色から黒あるいは茶の筋または模様をともなう白

ハウライト

ジプサム

分類：硫酸塩鉱物

結晶系：単斜晶系

化学組成：含水カルシウムの硫酸塩

晶癖：板状から柱状まで多様；「バラ」の形も

ジプサムという名前は、「石膏」を意味するギリシャ語"gypsos"からきています。セレナイトはジプサムの無色透明種で、真珠のような光沢を示します。セレナイトという名前の由来は、「月」というギリシャ語で、意味は文字どおり「月の石」です。これはこの石の有する月のような輝きに言及したものといえるでしょう。サテン・スパーといわれるジプサムの１種は、中が空洞になったチューブ・インクルジョーンを有し、このためにしばしばシャトヤンシー効果を示します。細かい粒子が集合したジプサムは一般に、アラバスターといわれます。デザート・ローズは、砂のインクルージョンを有するジプサムの結晶が集合して、バラのような形を形成したものです。ジプサムは、石膏をつくるために用いられます。

属性および特徴：ジプサムは、塊状の層を形成する、非常に一般的な造岩鉱物です。ジプサムはまた、堆積物や粘土層内に、刃状の結晶として産出もします。このように、母岩に付着していない結晶は「フローター」といわれます。結晶は湾曲しているものも珍しくなく、しばしば双晶——ときに完璧な「魚尾」や「燕尾」を形成する双晶が見られます。短波紫外線下では、このうえなく美しい淡黄色の蛍光も発し、燐光を発することも珍しくありません。最長10メートルという巨大な結晶が、メキシコの複数の産地から発見されています。

カット、セッティング、価値：アラバスターは彫りこまれ、芸術的な彫刻や陶器類といった装飾品として利用されます。多孔質のため、染色が簡単です。サテン・スパー種は、その強いキャッツアイ効果から、コレクター用にカボション·カットされることがあります。彫刻されることも。上質なジプサムは鉱物コレクターのあいだで高い人気を誇ります。その中でも特に群を抜いているのが、セレナイトとデザート・ローズ種です。ファセット加工可能なもの（セレナイト）が、コレクター用にカットされることは非常にまれですが、その軟らかさゆえにジュエリーへの使用には適しません。ジプサムは安価です。

屈折率：	1.52-1.53
複屈折：	0.010
分散度：	強い
比重：	2.30-2.33
硬度：	2
劈開：	一方向に完全、二方向に明瞭
断口：	多片状
光沢：	ガラスから真珠
主要産地：	メキシコのナイカ、シチリア、米国ユタおよびコロラド州、ロシア
色：	白から灰色、ピンクがかった赤、黄

ジプサム

ダトーライト

分類：珪酸塩鉱物（ネソ珪酸塩）

結晶系：単斜晶系

化学組成：カルシウムとホウ素の水酸化珪酸塩

晶癖：短柱状あるいは板状結晶

ダトーライトは1806年、ノルウェーの鉱物学教授イェンス・エスマーク（1763-1839）によって命名されました。由来は、「分割する」という意味のギリシャ語"dateisthai"で、ノルウェーのアーレンダルにおいて研究された最初のサンプルが粒状の構造をしていたことからきています。

属性および特徴：ダトーライトはほぼ常に、結晶の形で産出します。しかしながらミシガン州の銅鉱山からは、磁器を思わせる硬い塊状のものが産出しています。ダトーライトは充分に風化した玄武岩から、そして頻度は低いものの、そのほかの火成岩からも採掘されます。概して、ダトーライトとともに玄武岩溶岩の空隙から産出するのは、カルサイト、クォーツ、フッ素魚眼石、プレナイト、ゼオライトなどです。ダトーライトの結晶はえてして、独特な淡緑色を有するくさび形をしています。ミシガン産の塊状のダトーライトは、さらに色鮮やかなことがままあります。紫がかった色あいは、極めて微細な銅によるものであり、ピンクや黄色といった色あいは、肉眼でも確認できる、より大きな銅によるものです。

カット、セッティング、価値：ダトーライトは一般にはあまり知られていませんが、鉱物コレクターのあいだでは非常に人気のある鉱物です。複雑な結晶を形成し、ほとんどの場合ステップ・カットが施されます。通常ジュエリーに用いられることはありません。コレクター用にのみカットされます。重さ20カラットをこえるジェムストーンはまれです。ミシガン州の銅鉱床から発見される塊状のものの中には、装飾用の石としてカットされ、ポリッシング加工を施されるものもあります。

屈折率：	1.625-1.669
複屈折：	0.044
分散度：	0.016
比重：	2.90-3.00
硬度：	約5
劈開：	なし
断口：	貝殻状から不平坦状
光沢：	ガラス
主要産地：	ロシア、米国ミシガンおよびニュージャージー州、ノルウェー
色：	白、無色、黄色がかったもの、赤みを帯びたもの、灰色、茶、緑

分類：珪酸塩鉱物（テクト珪酸塩）

結晶系：三斜晶系

化学組成：珪酸アルミニウムカリウム

晶癖：柱状結晶および塊状、しばしば離溶した白いアルバイトをともなう

マイクロクリンは、珍しくないものの、あまり知られていない鉱物です。半貴石として利用されています。アマゾナイトおよびパーサイトは、このマイクロクリンという鉱物の一種になります。アマゾナイトは深緑の種で、パーサイトは縞模様を有します（ほぼシマウマ様模様）。これは、結晶内に薄板状の群生が内包されているためです。マイクロクリンという名前は、ギリシャ語の"mikros"（「小さい」の意）と"klinein""（「傾く」の意）に由来します。これは、劈開面が直角からほんの少しだけ傾いているためです。アマゾナイトはアマゾン川にちなんで名づけられたものですが、ブラジル各地で産出するにもかかわらず、アマゾン川の近くで発見されることは知られていません。

属性および特徴：マイクロクリンはオーソクレースとサニディンの同質異像――同じ化学組成を有しながら、結晶構造は異なる鉱物です。マイクロクリンは、ゆっくり冷却する火成岩内で形成されます。花崗岩や、花崗岩ペグマタイト、熱水鉱脈、片岩と片麻岩から産出し、堆積岩からは粒状のものが発見されます。また、ぎっしりつまった結晶凝集体として晶出することもあります。みごとなアマゾナイトのクラスターが、スモーキークォーツの結晶と共産して、美しい種を生み出している地もあります。アマゾナイトの緑色は、ごく少量含有している鉛の不純物に起因するものです。米国、ブラジル、ジンバブエ、ロシア、オーストラリア、ナミビアをはじめ、各地で産出しています。深緑は、マイクロクリンの高い指標です。縞模様を有する結晶はよく目にします。

カット、セッティング、価値：形の美しい結晶や双晶、および緑色のアマゾナイトの結晶は人気があります。アマゾナイトは通常、カボション・カットを施すことで美しいつやをまといます。マイクロクリンは、まれにファセット加工が施されることがあります（コレクター用）。ほかにも、ビーズやカボション、カメオ・カットが施されたり、オブジェとして彫刻を施されたりすることがあります。

屈折率：	1.522-1.530
複屈折：	0.008
分散度：	0.012
比重：	2.56-2.58
硬度：	6-6.5
劈開：	一方向に完全、他方向に良好
断口：	不平坦状
光沢：	ガラス
主要産地：	インド、米国、カナダ、ロシア、マダガスカル、タンザニア、ナミビア、ブラジル、ジンバブエ、オーストラリア
色：	青緑、緑、無色、白、黄、ピンク、赤、灰色

マイクロクリン

分類：珪酸塩鉱物（テクト珪酸塩）

結晶系：三斜晶系

化学組成：珪酸アルミニウムナトリウム

晶癖：板状から角型結晶、あるいは塊状

アルバイトは純度100パーセントのフェルドスパーで、フェルドスパー・グループ――ほかのどのグループよりも大量に、地殻内に産出する鉱物グループ――の中で最もナトリウム豊富な鉱物種です。その名は、「白」を意味するラテン語"albus"が由来で、鉱物の色に言及しています。スウェーデンでの発見につづいて、1815年にはじめて報告されました。

属性および特徴：フェルドスパーの、ジェムストーン・タイプはほとんどが、プラジオクレース系列に属します。地質学者たちが、このプラジオクレース種を分類する際、基本としているのが、ナトリウムとカルシウムの含有量で、ナトリウム100パーセントのアルミノ珪酸塩であるアルバイトが基点になります。カルシウムの含有量が増えるにつれ、アルバイトからオリゴクレース、アンデシン、ラブラドライト、バイトウナイト、そして最後にアノーサイトへと変わっていきます。アルバイトは、角型結晶として花崗岩内に、そして、青白色の「クリーブランド石」という板状結晶としてペグマタイト内に産出します。また、熱水鉱床内から発見されることも。ほぼ常に双晶を示し――層状双晶あるいは集片双晶――この場合の結晶は、対照的な構成を有する、顕微鏡でなければ確認できないほどの薄い層が何層にも重なって形成されています。こうした双晶の層は、裂創に似た溝として、結晶表面に現れることが珍しくありません。結晶は半透明から不透明で、ごくまれに透明のものが産出します。アルバイトは、オーソクレースとともにムーンストーン（ペリステライト）を形成します。

カット、セッティング、価値：アルバイトは、さほど人気の高いコレクター用の石ではないにもかかわらず、ほかの鉱物種の随伴鉱物として、効果的に用いられています。クリーブランド石種は、ペグマタイトのジェムストーン質の結晶――トルマリン、ベリル、トパーズなど――をともなって、白く透明な薄い結晶を形成します。アルバイトの双晶はよく目にしますが、完璧な形の双晶は、コレクターがこぞって欲しているものです。ムーンストーンはカボション・カットされます。

屈折率：	1.525-1.544
複屈折：	0.019
分散度：	0.014
比重：	2.60-2.63
硬度：	7
劈開：	一方向に完全、他方向に良好
断口：	不平坦状
光沢：	ガラスから真珠
主要産地：	カナダのラブラドル、スカンジナビア、米国カリフォルニアおよびメイン州、コロンビア
色：	白または無色、ときに青、黄、オレンジ、茶のことも

アルバイト

オリゴクレース

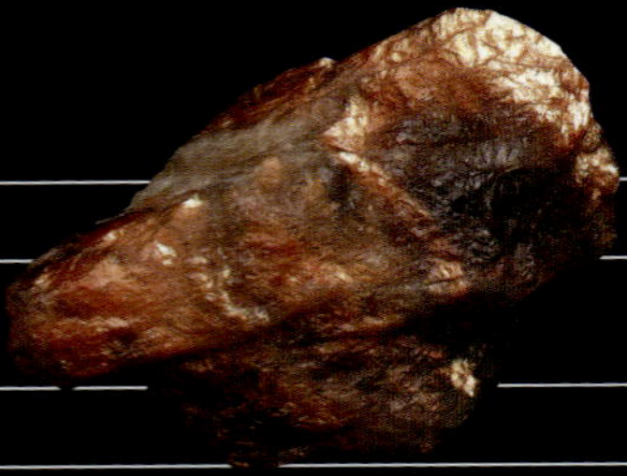

分類：珪酸塩鉱物（テクト珪酸塩）

結晶系：三斜晶系

化学組成：ナトリウムとカルシウムとアルミニウムの珪酸塩

晶癖：塊状、まれに板状結晶

オリゴクレースはあまり知られていませんが、サンストーンおよびムーンストーンと同種のジェムストーンと考えられています。オリゴクレースという名前を選んだのは、ドイツ人鉱物学者アウグスト・ブライトハウプト（1791-1873）です。1826年のことでした。由来は、ギリシャ語の"oligos"（「少ない」の意）と"klasein"（「割れる」の意）です。この鉱物が、アルバイトよりも完全な劈開が少ない、と考えられていたことに起因します。

属性および特徴：オリゴクレースは、フェルドスパー・グループのプラジオクレース系列に属します。ノルウェーや米国、インド、ロシア、カナダなどの変成岩および火成岩内に産出します。ムーンストーンは、透明あるいは淡色の地に、ラブラドレッセンス(p. 254参照)に似た、シマーを示します。サンストーンは、ヘマタイトあるいはゲーサイトのインクルージョンにより、赤みがかった閃光を示します。アベンチュリン・フェルドスパーともよく称されます。金属インクルージョンの反射によって、アベンチュレッセンス（ジェムストーン内の反射性インクルージョンに光が反射してもたらされるシマー効果）を示すためです。オリゴクレースは、集片双晶を示します。

カット、セッティング、価値：不透明から半透明種はしばしば、カボションあるいはビーズ·カットされます。１番の特徴は、茶からオレンジがかった赤い表面にきらめくシラーです。多くの石がシャトヤンシー効果を示します。ときにコレクター用としてファセット加工が施されるオリゴクレースもあります（米国ノースカロライナ州産の、完全な無色透明のガラス質種など）。虹色に輝く種は、収集用の石として愛蔵されています。

屈折率：	1.533-1.552
複屈折：	0.009
分散度：	0.012
比重：	2.64-2.66
硬度：	7
劈開：	一方向に完全、他方向に良好
断口：	不平坦状
光沢：	ガラス
主要産地：	ノルウェー、スリランカ、米国ニューヨーク州、ロシア、カナダ、インド
色：	オフホワイト、灰色、淡緑、黄、茶； サンストーンは銅を含んだような色

オリゴクレース

分類：珪酸塩鉱物（テクト珪酸塩）

結晶系：三斜晶系

化学組成：ナトリウムとカルシウムとアルミニウムの珪酸塩

晶癖：離溶層を示す薄い板状結晶あるいは塊状

ラブラドライトの名前の由来は、カナダのラブラドル地方（ニューファンドランド島近く）です。セントポール島においてはじめて発見されました。通常は、青いシラーをともなう灰色です。しかしながら、幅広い色あい（緑、オレンジ、赤、黄など）で産出することも珍しくありません。

属性および特徴：ラブラドライトは、結晶塊で産出する、半透明から透明の鉱物です。板状結晶が発見されることもあります。アンデサイトやバサルト、ダイオライト、オリビンガブロといった、変成岩および火成岩の主要構成要素です。虹色に輝くものは通常マダガスカル産ですが、透明種は一般にインドから採掘されます。フィンランド産のジェムストーン種は、非常に美しい虹色の光沢を有しており、スペクトロライトともいわれます。ラブラドライトの顕著な特徴はシラー効果（異なるフェルドスパーが交互になす薄い層から散乱する光）です。こうした現象は、ラブラドレッセンスともいわれます。ラブラドライトは通常、不透明からわずかに半透明ですが、閃光効果により、様々な色あいがもたらされます。透明種は、カナダのオレゴン州（含有した銅によって色を帯びるサンストーン）、米国のカリフォルニアおよびニューメキシコ州をはじめ、各地で産出しています。

カット、セッティング、価値：モンゴル産といわれている、鮮やかなオレンジのアンデシン･ラブラドライトは、比較的大きなサイズの場合、ファセット加工が施され、みごとにカットされた石になります。オレゴン・サンストーンもファセット加工が施されます。それ以外で、シラー効果を示す種は通常、カボションあるいは板状にカットされますが、これらはジュエリー用として最も人気のあるカットです。フィンランド産のスペクトロライトは非常に色鮮やかなラブラドレッセンスを示します。当然とても高価です。また、モザイク用の石として、テッセラ（ガラスのタイル）にはめこまれる石もあります。石は通常、コレクター用にのみファセット加工されます。

屈折率：	1.560-1.572
複屈折：	0.008
分散度：	0.012
比重：	2.68-2.69
硬度：	7
劈開：	一方向に完全、他方向に良好
断口：	不平坦状
光沢：	ガラス
主要産地：	米国、インド、フィンランド、カナダ、オーストラリア、マダガスカル、ロシア、メキシコ、ときにモンゴル
色：	オレンジ、黄、無色、灰色、緑、青、赤

ラブラドライト

分類：燐酸塩鉱物

結晶系：三斜晶系

化学組成：含水銅と
アルミニウムの燐酸塩

晶癖：通常塊状、まれに結晶

トルコ石は、採掘された最初の鉱物の１つです。数千年もの昔から、米国北部、中部、南部、およびエジプトでは、ジュエリーや仮面に用いられてきています。ジェムストーンとして高く評価されており、ジュエリー業界ではおそらく、最も高価な不透明の鉱物でしょう。名前は、フランス語の「トルコ」という言葉からきています。この石がもともとはイランから、トルコ経由で欧州にもたらされたからです。今日、ほとんどのトルコ石は中国産です。しかしながら、上質種は米国（アリゾナおよび近隣州）や、チベット、イランなど、ほかの産地から採掘されています。

属性および特徴：トルコ石は二次鉱物で、ほとんどの場合、高温乾燥地域のアルミニウムを含有する火成岩あるいはかなり変成した堆積岩の鉱脈から産出します。しばしばアズライトやバリスサイト、ワーダイトと間違われます。白または茶のマトリクスのみごとな石が、米国南西部で発見されることもあります。鮮やかな地色には、斑点や筋状の模様が見られることが多く、これらは茶色いリモナイトあるいは黒い酸化マンガンによるものです（スパイダーウェブ・トルコ石といわれます）。トルコ石は、銅とアルミニウムの含水燐酸塩です。青から、緑に近いもの、白までと、様々な色を有します。銅が鉄と亜鉛に置換することで、緑色がもたらされます。

カット、セッティング、価値：トルコ石の磨きすぎは禁物です。緑がまさり、魅力が失われかねません。多孔質のものが多く、日光、石けん、水、汗、油脂に弱い石です。低質なトルコ石は、染色や、色を安定させる処理がしばしば施されます。平らなものは、象眼細工に用いられたり、カボション・カットされることが多いでしょう。ビーズやカメオ・カットも用いられ、でこぼこしたものはモザイク画に使われます。最も高価で希少なトルコ石の産地は、イランおよび、ランダーやビズビー、キャリコ・レイク、セリリョスをはじめとする米国南西部です。模造品も広く出回っています。

屈折率：	1.61-1.65（スポット法）
複屈折：	該当なし
分散度：	該当なし
比重：	2.60-2.90
硬度：	5.5-6
劈開：	二方向に完全；通常不可視
断口：	貝殻状から平滑
光沢：	艶なしからワックス；マクロ結晶の場合ガラス
主要産地：	米国アリゾナおよびニューメキシコ州、イラン、チベット、中国
色：	ターコイズ、明るい青緑から濃い青まで様々

分類：珪酸塩鉱物（イノ珪酸塩）

結晶系：三斜晶系

化学組成：珪酸マンガン

晶癖：塊状あるいは粗い板状結晶

ロードナイトは珪酸マンガンで、マンガンがバラを思わせる色をもたらしています。名前は、「バラ」を意味するギリシャ語"rhodon"からきていて、その独特な色を表したものといえるでしょう。早くも1825年には、塊状のロードナイトのジェムストーンが、米国マサチューセッツ州から産出したとの記録があります。

属性および特徴：珪酸マンガンのロードナイトには、鉄やカルシウム元素の含有もしばしば見られます。劈開ゆえに、通常は小さな塊状で産出します。色はローズレッドですが、表面の酸化により、茶色く見える傾向にあります。ロードナイトには普通、黒いマンガン鉱物がつきもので、これによって特徴的な黒い斑紋が見られるのです。こうした石はときに、「スパイダーウェブ」ロードナイトといわれます。ファセット加工可能な質を有する結晶は、オーストラリアのニューサウスウェールズ州ブロークンヒルにある鉛鉱床から、スペサルタイトとともに産出します。パイロクスマンガイト、ファウラライト、ナンブライトはよく似た珪酸マンガンで、ロードナイト同様ファセット加工が施されるものもあります。

カット、セッティング、価値：ファセット加工される石は、ほとんどが5カラット以下です。10カラットをこえるアイクリーンな石（肉眼で不純物が確認されないきれいな石）は、ロードナイトの場合、大きい石とみなされます。ロードナイトの結晶は、塊状のものに比べて、あまり一般的とはいえませんが、熱心なコレクターにとっては、依然として最高級品です。塊状のものは、ビーズあるいはカボション・カットされたり、彫刻品に加工されたりします。

屈折率：	1.733-1.747
複屈折：	0.014
分散度：	0.010-0.020
比重：	3.40-3.71
硬度：	6
劈開：	二方向に完全
断口：	不平坦状
光沢：	ガラス
主要産地：	オーストラリア、ロシアのウラル山脈、ブラジル、スウェーデン、南アフリカ、米国
色：	ピンクから赤

ロードナイト

分類：燐酸塩鉱物

結晶系：三斜晶系

化学組成：リチウムとアルミニウムの含水燐酸塩あるいはフルオロ燐酸

晶癖：立方晶系に似た粗製結晶；通常塊状

屈折率：1.611-1.637

アンブリゴナイト、それも特により大きく、より深い色あいのものは、すばらしいコレクターストーンです。1817年にドイツのザクセンではじめて発見され、アウグスト・ブライトハウプトによって報告されました。彼はギリシャ語の"amblys"（「鈍い」の意）と"goni"（「角度」の意）から、このジェムストーンにアンブリゴナイトと命名しました。４方向に劈開が見られることに言及した名前です。カリフォルニア、スペイン、ミャンマー、ブラジルから、大量に発見されています。アンブリゴナイトは鉱物グループの名前でもあり、ほかには、グリファイト、モンブラサイト、ナトロモンブラサイト、タンコナイト、タボライトといった関連鉱物が属しています。

属性および特徴：このジェムストーンはよく、クォーツやアルバイトといった似たような造岩鉱物と間違われます。しかしながら、リチウムの高い含有量と､珍しい劈開によって見分けることができます。密度が高く、クォーツやアルバイトよりもおのずと比重が高くなっています。アンブリゴナイトは､実に様々な色を帯びます。乳白色､茶色がかった灰色､ピーチピンク、明るいあるいは緑がかった黄色から、青、灰色、濃いめのピンク､緑､さらには茶色までです。アンブリゴナイトは透明から半透明で､ほぼ10パーセントのリチウムからなります。これだけの量が、リチウムを経済的な存在たらしめているのです。アンブリゴナイトはまた、ガラス状エナメルの成分としても人気があり、ガラス食器に不透明な趣を付与しています。

カット、セッティング、価値：黄色いアンブリゴナイトの中でも最上質のものはジェムストーンにカットされます。中には、ファセット加工が施せるほどの透明度を有しているものもあります。ブリリアントあるいはミックス・カットが最も一般的です。ジェムストーンは１カラットから15カラットまであります。しかしながら非常に軟らかいため、ジュエリーとしての人気を得るのは難しいでしょう。

複屈折：	0.026
分散度：	0.018-0.019
比重：	3.01-3.03
硬度：	6
劈開：	四方向すべてに見られるが、程度は異なる； 一方向に完全、二方向に良好、一方向に明瞭
断口：	不規則／不平坦状、亜貝殻状
光沢：	ガラスから真珠
主要産地：	ブラジル、米国、オーストラリア、ミャンマー、ドイツ、スペイン、カナダ、またナミビアからも宝石質のアンブリゴナイトが産出
色：	白あるいはクリーム色、だが無色あるいは淡黄、緑、青、ベージュ、灰色、ピンクも見られる

アキシナイト・グループ

分類： 珪酸塩鉱物（サイクロ珪酸塩）

結晶系： 三斜晶系

化学組成： マグネシウム、鉄、あるいはマンガンのカルシウムとアルミニウムのホウ珪酸水酸化物

晶癖： 扁平な斧頭状結晶

発見は1797年。鉱物学者R・J・アユイ（1743-1822）がアルプスへの調査旅行を行なった際、ショール（トルマリンの中で最も色の濃い種）に似た、ガラスのように光るくさび形の結晶について報告しています。アキシナイトが独立した１つの鉱物とみなされてからもしばらくは、ガラス質のショールといわれていました。その後の研究で、アキシナイト・グループは４つ――アキシナイト（マグネシウム）、アキシナイト（マンガン）、アキシナイト（鉄）、チンゼナイト――にわけられました。いずれもジェムストーンとしてカットされることが珍しくありません。名前は、結晶の形――独特な斧（アクス）の形に由来します。

属性および特徴：アキシナイトが産出するのは変成岩内で、この変成岩は、石灰岩のようなカルシウム豊富な堆積岩から変成したものです。強い三色性を有しますが、扁平な斧頭状結晶が薄すぎるため、角度に応じてより美しいえび茶や藍色を見えるようにするのは、難しい場合が多々あります。よく黄色い石――クリソベリルやヘッソナイト、トパーズ、トルマリンと間違われますが、アキシナイト自体は、他の色をまとうことのほうが多いでしょう。タンザニア産には、珍しい青い種があります。アキシナイトは、同型構造鉱物――結晶構造は同じで、化学組成が異なる鉱物――のグループ名です。この同型構造鉱物は、鉄、マグネシウム、マンガン、カルシウムの含有量に応じた名前がつけられています。鉄の豊富な、藤色がかった茶から黒い種は、アキシナイト（鉄）、マグネシウムの豊富な、淡青から灰色の石はアキシナイト（マグネシウム）といわれます。一方、アキシナイト（マンガン）は橙黄色でマグネシウムが豊富、チンゼナイト（これのみ、ほかの３つの鉱物とは命名法が異なります）は黄色で、カルシウム、鉄、マンガンを各種含有しています。

カット、セッティング、価値：希少ジェムストーンであり、カットは買い手よりコレクターのためです。ファセット加工（通常はブリリアントかミックス・カット）を施されるのは、概して小さい石で、10カラットをこえる、ジェムストーンへの加工が可能な大きさの結晶は希少です。

屈折率：	1.660-1.68
複屈折：	0.010-0.012
分散度：	0.018-0.020
比重：	3.18-3.29
硬度：	7
劈開：	一方向に良好、二方向に微弱
断口：	貝殻状
光沢：	ガラス
主要産地：	米国カリフォルニア州、ロシア、メキシコ、ブラジル、タンザニア、スリランカ、スイス、日本、英国、フランス
色：	藤色がかった茶、また黄、橙黄色、灰色、淡青、黒

カイアナイト

分類：珪酸塩鉱物（ネソ珪酸塩）

結晶系：三斜晶系

化学組成：含水珪酸アルミニウム

晶癖：刃あるいは板状結晶、ときにツイスト状

カイアナイトという名前は、「青」を意味するギリシャ語"kyanos"からきていて、この石に最もよく見られる色を表しています。またこの石は、ディスシーン、サイヤナイト、さらにときにはリーティサイトといった別名で呼ばれることもあります。18世紀にはじめて発見されました。

属性および特徴：カイアナイトは一般に、スタウロライトやガーネット、ルチルとともに片岩および片麻岩から産出します。また、アルミニウムの豊富な変成ペグマタイトからも。際立った特徴は、硬度が結晶軸方向に応じて異なる、ということです。つまり、同じ結晶でありながら、異なる硬度を有しているのです。このような現象を硬度異方性といいます。この珪酸アルミニウム鉱物は、アンダリュサイトおよびシリマナイトと同質異像——化学組成が同じで、結晶構造が異なる鉱物——です。青い色をもたらしているのは、鉄とチタンになります。緑の誘因はバナジウムです。カイアナイトの色は、常に一定ではありません。強い多色性を有しているため、見る角度に応じて、紫、青、あるいは無色へと変化するのです。シャトヤンシー効果を示す種もあります。

カット、セッティング、価値：カイアナイトはジェムストーンとしても用いられますが、硬度に一貫性がなく、完全な劈開も有することから、その利用には限度があります。通常はコレクター用にファセット加工が施されます。バケットあるいはステップ・カットが多いでしょう。シャトヤンシー効果を示す石は、カボション・カットされます。最も高価なカイアナイトは、鮮やかな青あるいは青緑のものです。

屈折率：	1.715-1.732
複屈折：	0.017
分散度：	0.020
比重：	3.65-3.69
硬度：	5-7（結晶軸方向による）
劈開：	一方向に完全、他方向に不完全
断口：	貝殻状
光沢：	ガラスから真珠
主要産地：	インド、ブラジル、ケニア、ミャンマー、パキスタン、ネパール、ノルウェー、米国
色：	青、緑、無色

カイアナイト

オパール

分類： 準鉱物

結晶系： 非晶質

化学組成： 水酸化シリカゲル

晶癖： 塊状、シーム（層状）、ときに仮晶

オパールは準鉱物（純粋な結晶構造ではないためにそういわれる）で、そもそもはオーストラリア産です。オパールという言葉は、「宝石」を意味するサンスクリット語"upala"からきています。

属性および特徴：比較的低温で堆積し、ほとんどの岩石——特に砂岩、流紋岩、玄武岩——の割れ目から産出します。最も貴重なオパールはプレシャス·オパールで、動かすと遊色効果を示します。プレシャス·オパールは、ジェムストーンの地の色に応じて、さらにブラックとホワイトにわけられることも珍しくありません。オパールは、規則正しくきっちりと配列されたシリカ球からなります。シリカ球の長さは、光の波長に似ています。遊色効果は、オパールを構成する様々なシリカ球からの光の回析によるものです。ホワイト・オパールに見られる、石全体を覆っているような乳白色の光をオパレッセンスといいます。これは、石の中の粒子による白い光の散乱に起因するものです。オパールのキャッツアイ効果は、平行繊維あるいは中が空洞のチューブ・インクルージョンによってもたらされます。結晶のインクルージョン（ホーンブレンド、クォーツ、ゲーサイトの針状など）がよく見られます。「チェリー」オパールはメキシコ産で、地の色は鮮やかなオレンジです。エチオピア産のオパールには、地の色が茶色のものもあります。ペルー産のピンク・オパールおよびブルー·オパールは半透明で、内包した鉱物によりそれぞれの色を有します。

カット、セッティング、価値：強い遊色効果を示す種は、ジェムストーンとして最も人気が高く、黒地に赤いまだらの種は最も希少かつ高価です。最も一般的なのは、白地に緑のまだらです。チェリー、ピンク、ブルーの各色は、遊色効果を示す種よりも価値が低くなります。石は、ファセット加工（通常はステップ・カット）か、（シャトヤンシー効果を示したり、独特なインクルージョンを内包するものは特に）カボション・カットも珍しくありません。ビーズやカメオ・カットも人気です。ダブレット（べつの鉱物を張り合わせたオパール）も。乾燥すると、ひびが入りやすくなります。合成品および模造品が広く出回っています。

屈折率：	1.44-1.46
複屈折：	なし
分散度：	なし
比重：	1.98-2.20
硬度：	5.5-6.5
劈開：	なし
断口：	貝殻状
光沢：	ガラスから艶なし
主要産地：	オーストラリア、メキシコ、ブラジル、米国オレゴン州、エチオピア、ペルー、ハンガリー
色：	透明から白、灰色、赤、オレンジ、黄、緑、青、ピンク、茶、黒

オパール

分類：準鉱物

結晶系：非晶質

化学組成：火山性のシリカガラス

晶癖：塊状、まるい瘤状（「アパッチの涙」）

オブシディアンは天然のガラスです。その名前は、発見者であるオブシウスにちなんだラテン語"obsianus"の誤植からきたものと信じられています。彼はエチオピアでこの岩石を発見しました。それにより、ローマの学者プリニウスから「偉大なるもの」とたたえられたのです。

属性および特徴：オブシディアンは純粋な鉱物ではなく、準鉱物に分類されます。結晶構造を有しないためで、シリカと酸化アルミニウム豊富な冷却された火山ガラスなのです。急速に冷却する火山性溶岩から産出します。肝心の結晶化がないため、小さな気泡やそのほかの鉱物をともなうことが珍しくなく、それによって様々な外観を呈しています。色は均一のこともあれば、縞やまだら模様が見えることもあります。インクルージョンによっては、金属製のシーンや、多様な色がきらめく虹色のシーン、あるいは最も一般的なシルバーやゴールドのシーンが見られる場合もあるでしょう。シーンが多彩な場合、その石は「レインボー」オブシディアンといわれます。クリストバライト結晶は、スノーフレーク（雪片）のように見えます（「スノーフレーク」オブシディアン）。アリゾナおよびニューメキシコ産の黒っぽい瘤状のものは「アパッチの涙」です。オブシディアンの代表的な色——深緑、茶、あるいは黒は、鉄とマグネシウムに起因します。ごくまれに、限りなく無色に近いオブシディアンが発見されることもあります。

カット、セッティング、価値：オブシディアンはしばしば彫刻が施され、ジュエリー——特にイヤリング、ブレスレット、ペンダント——や、動物をはじめとする様々な装飾品へと加工されます。ジェムストーンにしては変わった特徴を有している石で、ある方向にカットすると真っ黒で、べつの方向にカットするとスズを思わせるほぼ灰色の面が現れるのです。通常はカボション・カットされるか、石のままポリッシング加工が施されます。入手も簡単で、値段もそこそこです。赤、青、緑の「オブシディアン」はほぼ常に人工ガラスです。

屈折率：	1.48-1.51
複屈折：	なし
分散度：	0.035
比重：	2.33-2.42
硬度：	5
劈開：	なし
断口：	貝殻状
光沢：	ガラス
主要産地：	イタリア、メキシコ、スコットランド、米国アリゾナ、コロラド、テキサス、ユタ、アイダホの各州
色：	灰色から深緑、焦げ茶、黒

モルダバイト

分類：準鉱物

結晶系：非晶質

化学組成：アルミニウム、マグネシウム、鉄などをともなうシリカガラス

晶癖：空気力学的な瘤状あるいはエッチング状

モルダバイトは天然のガラスで、最初に発見されたのは1787年、チェコのモルダウ川でした。通常は濃いオリーブ・グリーンです。モルダバイトという名前は、最初に発見された地にちなんだものです。

属性および特徴：モルダバイトは衝撃ガラスで、地上の岩石が隕石の衝突によって溶解したものが空気中に飛散し、落下していくまでのあいだに冷却されたものです。モルダバイトには、独特な縞模様（岩石内部の流れるような縞模様）と、ダンベルを長くしたような気泡があり、どちらも人工のガラスには見られないものです。火山ガラスやオブシディアンと異なり、モルダバイトは結晶を含有しません。表面は、なめらかなものからでこぼこしたものまで様々ですが、一般には溝が見られます。まるで自然なエッチングをへてきたようです。モルダバイトはテクタイトの１種になります。テクタイトにはほかにも、オーストラリアとタスマニア産のオーストラライトやマレーシア産のビリトナイトが含まれます。これらはいずれも通常黒い色をしてます。

カット、セッティング、価値：最も高価なモルダバイトは、深い溝を有する、透明な緑のものです。モルダバイトは、ジェムストーンとしてカットされることもあれば（通常はブリリアントかクッション・カット）、その独特で複雑な形をいかし、カットしない自然な形状のままジュエリーに用いられることもあります。カットせずに（概して裏打ちされていますが）カボションとして、あるいはごくまれに小さな彫刻品として販売されているものもあります。加工されたモルダバイトは、まぎらわしい名前で売られています。たとえば、ボヘミアン・クリソライト、人工クリソライト、疑似クリソライト、ウォーター・クリソライトなどです。上質なモルダバイトは希少です。

屈折率：	1.48-1.52
複屈折：	なし
分散度：	0.022
比重：	2.30-2.50
硬度：	5.5
劈開：	不明
断口：	貝殻状
光沢：	ガラス
主要産地：	チェコ、オーストリア、ドイツ
色：	緑からほぼ無色

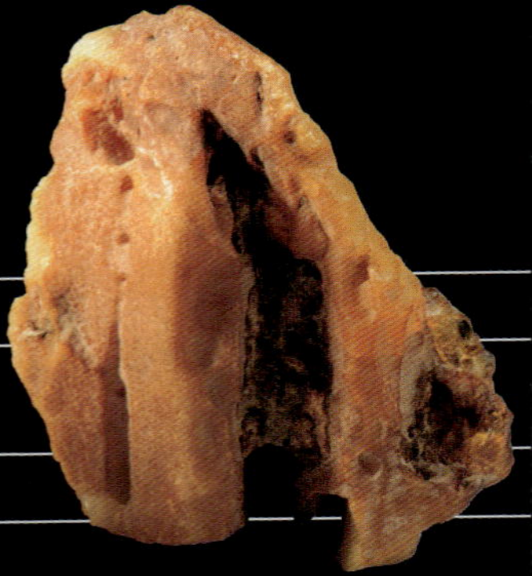

分類：有機物

結晶系：非晶質

化学組成：（炭素、水素、酸素などと）
樹液が混合してできた天然樹脂

晶癖：まるい瘤状の塊、まれに薄い層状

アンバーはアラビア語"ambergris"――香水をつくる際に利用される、ろう状物質（マッコウクジラの腸内で発生）――からその名がきています。ギリシャ人はアンバーを"elektro"と呼びます。これは、「電気」という言葉のもとになったもので、アンバーを布でこすると帯電し、静電気を発生させることに由来します。鉱物学者たちのあいだでは、（バルチック）アンバーの特殊な化学組成物「琥珀」を意味する言葉として、ラテン語の"succinum"も使われはじめています。

属性および特徴：アンバーは炭化水素、樹脂、コハク酸、様々な油分の混合物です。３億年ほど前の松（Pinus succinifera）などの樹脂が硬くなった、あるいは化石化したものです。アンバーとコーパル樹脂とを混同しないようにしてください。コーパル樹脂も生成源は似ていますが、アンバーほどの重合は見られず、アンバーよりも軟らかい物質です。アンバーは、海岸や海から採集されるか、露天掘りで採掘されるかです。最も有名な産地はバルト海でしょう。海底から岸へとアンバーが運ばれていきます。そのほかの産地としては、ミャンマー、ルーマニア、ロシア、ドミニカ、米国ワイオミング州、ベネズエラなどがあります。短波紫外線下では青白い蛍光を、長波紫外線下では黄色い蛍光を発します。色を決するのは、起源および不純物の種類と数です。

カット、セッティング、価値：アンバーはほとんどカボション・カットされます。花粉や昆虫、葉をはじめとする有機堆積物のインクルージョンで有名です。こうしたインクルージョンはもともと、粘度の高い流動体に取りこまれていたものです。識別可能な昆虫や植物のインクルージョンを有するアンバーは、非常に価値があります。アンバーはときに、ファセット加工が施されることがあります。蛍光を発するオリーブ・グリーンや青いアンバーもまた、一段と高価ですが、青は、時間の経過とともに表面がひび割れ、色もあせてくるといわれています。「赤いアンバー」のほとんどがプラスチック製の模造品で、金色のアンバーも簡単に、プラスチックで模造することができます。

屈折率：	1.54
複屈折：	なし
分散度：	なし
比重：	1.08
硬度：	2-2.5
劈開：	なし
断口：	貝殻状
光沢：	樹脂から脂肪
主要産地：	バルト海沿岸、シチリア、ルーマニア、ドミニカ、メキシコ、ミャンマー
色：	黄、茶、赤、オレンジ、無色；まれに発光する青

アンバー

ジェット

分類：有機物

結晶系：非晶質

化学組成：他の元素を少量ともなった炭素と水素

晶癖：通常塊状

ジェット（ロシアではガゲートと呼ばれています）は黒い有機物です。部分的に化石化した樹木で、褐炭に似ています。硬いけれど軽い、つややかな黒い石で、ビクトリア朝では喪服用のジュエリーとして用いられていました。フランス語で同じ物質を示す言葉"Jaiet"から、その名前はきています。

属性および特徴：ジェットは、流木が何百万年もの時間をかけて圧縮していくことで形成されます。通常は黒ですが、焦げ茶も見られ、パイライトのインクルージョンを有していることも珍しくありません。このインクルージョンが、かなり真鍮に近い色と、独特な金属光沢をもたらしているのです。ジェットは結晶質構造を有していないことから、純粋な鉱物というよりむしろ準鉱物とみなされています。ジェットは、ハードとソフトという２つの形態で発見されます。ハード・ジェットはソフト・ジェットよりも高い圧縮ゆえの産物であり、淡水と塩水双方による組成変化も珍しくありません。ほとんどのジェットは英国ヨークシャー州ホイットビー産で、ここでは有史以前から採掘が行われています。ほかにもスペインやフランス、ドイツ、米国、ロシアから産出していますが、これらの産地のものは、ホイットビー産に比べて硬さも柔軟さも劣ると考えられています。ジェットはまたブラック・アンバーともいわれます。（アンバー同様）こすると帯電することが珍しくないからです。こすると、強烈なにおいも発します。

カット、セッティング、価値：ジェットはしばしばカボション・カットされ、美しく磨きあげられます。ビーズやカメオ、タンブルやポリッシュ・ストーンもコレクターのあいだでは人気があります。またジェットは、ファセット加工が施されることもままあります。ビクトリア朝の人々は、ジェットに精巧な彫刻を施しました。昔ほどの人気はないものの、本物のジェットの宝石はいまだに、コレクターから高い評価を得ています。

屈折率：	1.66（スポット法）
複屈折：	なし
分散度：	なし
比重：	1.30-1.35
硬度：	2.5-4
劈開：	なし
断口：	貝殻状
光沢：	ベルベットからワックス、艶なし
主要産地：	英国、スペイン、フランス、米国、ドイツ、ロシア
色：	黒、茶色がかったもの

ジェット

アイボリー

分類：有機物

結晶系：多様

化学組成：有機物をともなう
カルシウムの含水燐酸塩

晶癖：「ロゼット模様」をともなう
放射状構造

アイボリーは本来、象牙をさす言葉として用いられていました。けれど今日では、名前の適応範囲が変わってきて、カバやイッカク、セイウチ、マッコウクジラの歯もさすようになっています。これらほ乳動物はほとんどが絶滅危惧種で、国際社会の法律によって保護されています。アイボリーの代替品はフォッシル・アイボリーです。これは、マンモス――少なくとも１万年以上前に北半球で生息していたほ乳動物――の化石から入手します。

属性および特徴：アイボリーの工芸品は比較的耐久性が高くなっています。これは、密度が高く、無機質におけるたんぱく質成分率も比較的高いためです。アイボリーはなめらかで、半透明から不透明。色は白から淡黄で、光沢は脂肪状ですが、磨くことで鈍い光沢に変わります。骨や牙はときに銅塩で青く染色され、オドンライトといわれる、天然の色を有する希少なフォッシル・アイボリーの模造品とされることがあります。燐酸鉄鉱物ビビアナイトをともなうマンモスの牙は、ところどころ自然な青みを帯びているのです。非常に古いアイボリーの彫刻や骨董品の中には、アジア象の小さめの牙から彫られたものが珍しくありません。アイボリーは、紫外線下では青から青白色の蛍光を発することもあります。象およびマンモスの牙には、歯の結晶粒子とともに「ロゼット模様」が見られますが、これはほかの動物の歯には見られないものです。

カット、セッティング、価値：19世紀後半にプラスチックが発明されるまで、アイボリーはジュエリーやボタン、櫛をはじめとする日用品に広く用いられていました。希少性ゆえに、その価値は徐々に高くなってきています。市場に出回っている美しい現代ジュエリーの中には、天然のベジタブル・アイボリー（植物象牙）からつくられたものもあります。これらは、南米のヤシの実やアフリカのドームパームの実が原料です。こうしたアイボリーは、価値が高まってきています。アイボリーは通常、ビーズやカメオ・カットが施されたり、ポリッシュ・ストーンや象嵌、彫刻品として販売されたりします。

屈折率：	1.54
複屈折：	該当なし
分散度：	該当なし
比重：	1.70-1.95
硬度：	2.5
劈開：	なし
断口：	繊維状
光沢：	艶なしから脂肪
主要産地：	アフリカ象、アジア象をはじめとする動物
色：	クリーム色、白、黄、茶

シェル
およびトータス・シェル

分類：有機物

結晶系：多様

化学組成：炭酸カルシウム（ほとんどのシェル）；有機物（トータス・シェル）

晶癖：カルサイトおよび（あるいは）アラゴナイトの合層（ほとんどのシェル）；ケラチン合層（トータス・シェル）

シェルは昔からジュエリーに用いられていました。また彫刻が施され、ボタンや象嵌、刃物の柄、かぎたばこ入れ、櫛など、様々なものに加工もされています。こうした装飾品のために、様々な種類のシェルが用いられており、その中には大きな真珠貝やアワビ、ニシキウズガイ（いずれも、内側の虹色に輝く真珠層ゆえに価値がある）などが含まれます。トータス・シェルおよびコンク・シェルも同様で、これらは彫刻が施されて、複雑なカメオへと加工されます。

属性および特徴：真珠層は軟体動物あるいはカタツムリの殻の内側に見られる虹色の層です。真珠層は、大半の真珠同様、ほとんどの場合は白ですが、タヒチ黒真珠の真珠層は黒になります。ほかにも有名なのが、ニュージーランド産パウア・アバロン（アワビ貝）の真珠層で、これは青緑に輝きます。アワビ貝の内層をなす炭酸カルシウムの透明結晶が、光を浴びると鮮やかにきらめくのです。トータス・シェルは複合たんぱく質（ケラチン）からなるもので、インドネシアのマレー諸島およびブラジルで発見されるタイマイの甲羅から得られます。

カット、セッティング、価値：シェルは、その独特な模様を際立たせるため、磨かれたり、カメオに彫刻されたり、カボション・カットが施されることが珍しくありません。ほとんどのシェルは、美しさよりも希少性で価値が決まります。よく目にするシェルは安価ですが、ことのほか希少な種になると、何千ドルもの高値がつくこともあるのです。トータス・シェルは、現在ウミガメの絶滅が危惧されていることから、希少な存在となっています。アンティーク品しか入手は難しいでしょう。かわりに通常用いられているのが、プラスチック製の模造品です。オパール同様トータス・シェルも、年月をへるとひびが入ってきます。

屈折率：	1.53-1.69（ほとんどのシェル）；1.55（トータス・シェル）
複屈折：	該当なし
分散度：	該当なし
比重：	2.6（カーボナイト）；1.30（トータス・シェル）
硬度：	2.5- 3
劈開：	なし
断口：	不平坦状
光沢：	油脂からガラス
主要産地：	多様
色：	白、灰色、黄、茶、オリーブ、ピンク、紫（ほとんどのシェル）；まだらの琥珀色（トータス・シェル）

コーラル

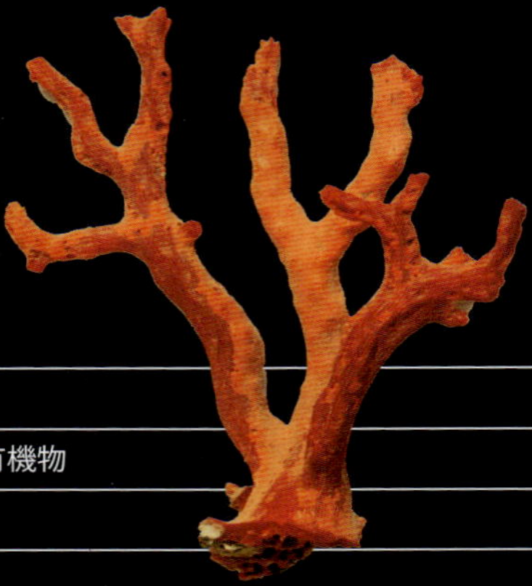

分類：有機物

結晶系：多様

化学組成：炭酸カルシウムあるいは有機物

晶癖：放射状構造の枝

コーラルは、小動物によってつくられます。こうした小動物は、人類が誕生するよりもはるか昔から、暖かい海底に、広大な定住地を形成していたのです。コーラルという名前は、ギリシャ語の"korallion"からきています。これは、小動物の硬い石灰質骨格を意味し、この石灰質骨格からコーラルはなっているのです。

属性および特徴：コーラル・ポリープ（小さな海生無脊椎動物）の骨格は強靱な炭酸カルシウムで、これがジュエリーをつくる際に用いられます。色は通常赤やオレンジ、淡いピンク（エンゼルスキン・コーラル）からきれいな飽和した白まででです。炭酸カルシウムのコーラル（普通は白、ピンク、赤、オレンジ）は、はっきりとした縞模様を示します。縞はそれぞれ微妙に色と透明度が異なります。一方コンキオリンのコーラル（有機たんぱく質コンキオリンからなり、通常は黒、青、金、茶）は、もととなる枝の軸のまわりに同心構造を示します。ほとんどの場合、金色のコーラルは、同心構造同様、表面に独特な美しい突起が見られ、（一般的ではないものの）弱いシーンも認められます。コーラルは暖かい海で成長し、主としてハワイ沿岸や、ビスケー湾から地中海および紅海一帯、さらに日本やオーストラリア沿岸で発見されます。黒いコーラルの産地は、カメルーンおよびハワイ沿岸です。

カット、セッティング、価値：ジュエリーへの利用を目的とした場合、コーラルは彫刻を施されてビーズやカメオといったものに加工されるか、枝を思わせる自然な形のまま磨かれます。ガラスのようなすばらしい光沢を際立たせるため、一般にはカボション・カットが用いられます。最も価値があるのは、鮮やかな赤（ノーブル・コーラルといわれます）ですが、ピンクも人気があり、高価です。金色のコーラルも、その希少性ゆえに貴重で、黒いコーラルを過酸化水素で漂白処理して、金色に変えることもあります。コンキオリンのコーラルは傷つきやすく、収集および輸出が制限されています。

屈折率：	1.49-1.65（炭酸カルシウム）；1.56（コンキオリン）
複屈折：	0.20（炭酸カルシウム）
分散度：	該当なし
比重：	2.6-2.7（炭酸カルシウム）；1.34（コンキオリン）
硬度：	3.5（炭酸カルシウム）
劈開：	なし
断口：	不平坦状（炭酸カルシウム）
光沢：	ワックスからガラス
主要産地：	ハワイ近くの暖かな海底、ビスケー湾、地中海および紅海；日本、アフリカ、オーストラリア沿岸
色：	白、ピンク、赤、オレンジ、青から紫、金、茶、黒

パール

分類：有機物

結晶系：該当なし

化学組成：炭酸カルシウム
およびコンキオリン

晶癖：真円からバロック

屈折率：1.530-1.685（アラゴナイト）

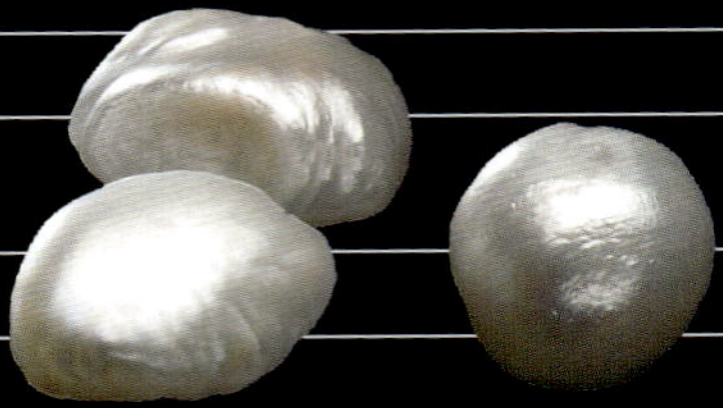

パールの養殖にはじめて成功したのは20世紀初頭の日本で、1907年には特許の申請が許可されました。それまでは、天然のパールしか入手できなかったのです。当然値段も非常に高く、いかにいいものであれ、散発的にしか出回りませんでした。今日、養殖パールは、どんな大きさ、形、色であっても、ほぼ入手可能です。

属性および特徴：パールは、有機物からできたジェムストーンです。カキをはじめとする軟体動物が、美しい真珠層（炭酸カルシウムとコンキオリンという有機たんぱく質の層からなります）で異物を覆うとできます。天然パールの場合、この過程はすべて自然に見られ、パールもほぼ100パーセント真珠層からできます。養殖パールは、核を貝の中に入れてから、貝を海に戻します。人工的に核を挿入する養殖パールに、真珠層はありません。けれど後日貝を引きあげると、中では、核を覆う何層もの真珠層が形成されているのです。白に近いアコヤの養殖パールは、日本でつくられます。南太平洋のより暖かい海域では、より大きい貝から、白や「銀」「金」の南洋養殖パールや、黒いタヒチ養殖パールが採収できます。淡水パールは、ほぼ中国でイガイから養殖されます。

カット、セッティング、価値：パールの質を決める要因は2つ。1つは干渉——真珠層に光が反射してもたらされる、やわらかな虹色のシーン——で、もう1つは光沢です。上質なパールは、真珠層に傷も斑点もなく、均一でなめらかな質感を示します。質を左右する要因としては、ほかにも大きさや丸みの状態、色、そして——ネックレスの場合——粒のそろい具合があります。黒いパールは非常に価値が高くなっています。中国産の淡水パールはとても入手しやすく、今日では、ファセット加工が施されたものや、象嵌細工を施したモザイクも紹介されています。パールは、染色や照射処理をすれば、ほぼどんな色にもなります。また、プラスチックやガラスビーズ製のものが、パールの模造品として出回っています。

複屈折：	0.155（アラゴナイト）
分散度：	0.017（アラゴナイト）
比重：	2.60-2.78（天然パール；養殖パールは異なることも）
硬度：	2.5-3.5
劈開：	なし
断口：	不平坦状
光沢：	真珠
主要産地：	ペルシャ湾、インド、スリランカ、スコットランド、ドイツ、フィリピン、マレーシア、オーストラリア、中国、タヒチ、日本、メキシコ、パナマ、ベネズエラ
色：	白から黄、茶。灰色から黒。黄からピンク、紫がかったピンク、あるいは藤色。いずれも、紫がかったピンクあるいは青緑の光沢を有する

パール

ジェムストーン・ギャラリー

　このギャラリーでは、「ジェムストーン一覧」で取りあげたすべてのジェムストーンを掲載しています。一目でわかるようになっていますから、ジェムストーンの多様性や美しさを堪能してください。一覧同様ギャラリーでも、ジェムストーンはその結晶系に応じて分類してあります。これにより、同一結晶系（たとえば立方晶系など）のジェムストーンをすべて、比較しながら見ることができるでしょう。ジェムストーン確認の便利な一助として活用いただくのはもちろん、美しい写真の数々を、ただ眺めて楽しんでいただいても結構です。

立方晶系

ダイヤモンド

パイロープ
ガーネット

スペサルタイト
ガーネット

アルマンディン
ガーネット

ウバロバイト
ガーネット

グロッシュラ
ガーネット

ヘッソナイト
グロッシュラ・ガーネット

ツァボライト
グロッシュラ・ガーネット

アンドラダイト
ガーネット

パイライト

スファレライト

スピネル

立方晶系（つづき）

フローライト

ソーダライト

アウイン

ラズライト
ラピスラズリ

正方晶系

シェーライト

キャシテライト

スキャポライト
マリアライト・
メイオナイト系列

ルチル

ジルコン

ベスビアナイト

正方晶系（つづき）

タグツパイト

六方晶系

エメラルド
ベリル

アクアマリン
ベリル

ヘリオドール
ベリル

ゴシェナイト
ベリル

モルガナイト

レッド・ベリル

アパタイト

ターフェアイト

ベニトアイト

三方晶系

ローズクォーツ

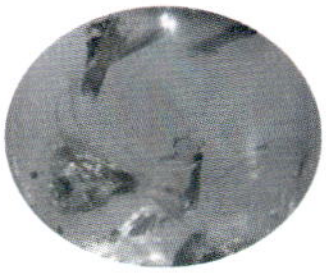

ロック・クリスタル・クォーツ

アメジスト・クォーツ

シトリン・クォーツ

アベンチュリン・クォーツ

ミルククォーツ

シャトヤンシー・クォーツ

インクルージョン・クォーツ

アゲート
カルセドニー

ファイアーアゲート
カルセドニー

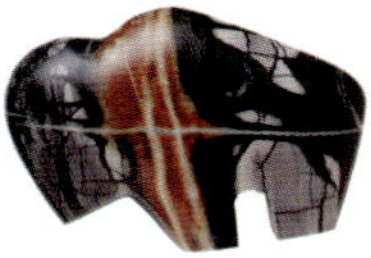

オニキス、サード、サードオニキス
カルセドニー

クリソプレーズ
カルセドニー

三方晶系（つづき）

ジャスパー
カルセドニー

カーネリアン
カルセドニー

ブラッドストーン
カルセドニー

ガスペイト

ルビー
コランダム

サファイア
コランダム

パパラチア・サファイア
コランダム

カラーレス・サファイア
コランダム

グリーン・サファイア
コランダム

ピンク・サファイア
コランダム

イエロー・サファイア
コランダム

ユーディアライト

三方晶系（つづき）

カルサイト

フェナサイト

ダイオプテース

ドロマイト

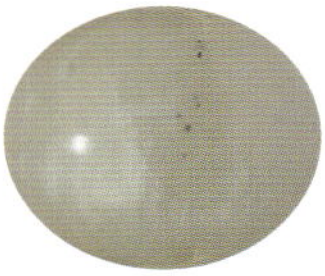
スミソナイト

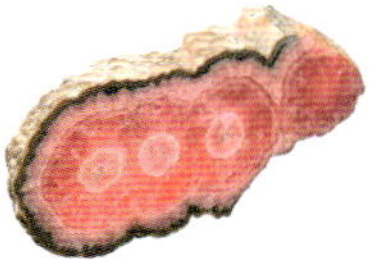
ロードクロサイト

ルベライト
エルバイトあるいは
リディコータイト・トルマリン

インディコライト
エルバイトあるいは
リディコータイト・トルマリン

ドラバイト
トルマリン

アクロアイト
エルバイトあるいは
ロスマナイト・トルマリン

ウォーターメロン・トルマリン
エルバイトあるいは
リディコータイト

ショール
トルマリン

三方晶系（つづき）

パライバ・トルマリン
エルバイト

斜方晶系

アラゴナイト

バライト

セレスタイト

セルサイト

トパーズ

クリソベリル

アンダルサイト

ダンブライト

エンスタタイト

斜方晶系（つづき）

シリマナイト

ハイパーシーン

アイオライト
コーディエライト

コーネルピン

ペリドット
フォルステライト

アングレサイト

シンハライト

ハンバーガイト

プレナイト

ゾイサイト
タンザナイトを含む

スタウロライト

デュモルチェライト

単斜晶系

ベリロナイト

ブラジリアナイト

ダイオプサイド

メシャム
セピオライト

スポデューメン

エピドート

チタナイト
スフェーン

オーソクレース

ムーンストーン
オーソクレース

ユークレース

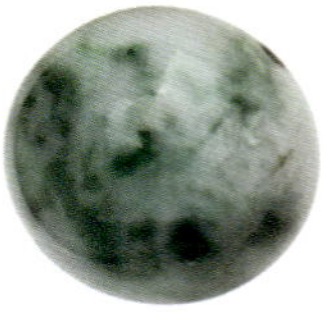
ジェイダイト
ジェード

ネフライト
ジェード

単斜晶系（つづき）

マラカイト

クリソコーラ

アズライト

サーペンティン

フォスフォフィライト

マウシッシ

ラズライト

ハウライト

ジプサム

ダトーライト

三斜晶系

マイクロクリン

アルバイト

オリゴクレース

ラブラドライト

トルコ石

ロードナイト

アンブリゴナイト

アキシナイト・
グループ

カイアナイト

非晶質

オパール

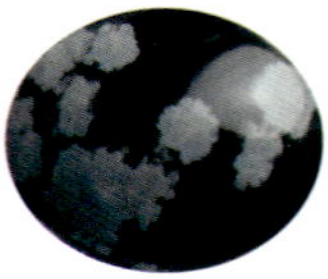

オブシディアン

モルダバイト

非晶質（つづき）

アンバー

ジェット

多様

アイボリー

シェルおよび
トータス・シェル

コーラル

有機物

パール

鉱物とジェムストーンの鑑定および収集

　ジェムストーンの鑑定は、実地で収集するコレクターにとっては欠かせない能力ですが、カットストーンを購入する素人にとっても大事なことです。鉱物種には、ラベルが付記されていなかったり、付記されていても間違っていることがしばしばあるからです。ガレージセールにせよ、骨董品店にせよ、たとえジュエリーショップからにせよ、購入の際には、あなた自身の判断、あるいは信頼できる専門家の判断を駆使して、しっかりと鑑定するようにしてください。

　ジェムストーンについて判断を下す際に基本とするべきなのが、目で見て簡単にわかる特徴——たとえば、色や形、晶癖などです。また、自分のジェムストーンを調べたい、それも拡大鏡を使ったり、さらには、現代ならではの様々なハイテク検査技術を駆使した顕微分析をしてでも調べたいと思うこともあるかもしれないでしょう。

鉱物の鑑定

多くの鉱物が、精密な検査によって鑑定されます。対象となる鉱物が、形のいい結晶状の場合は特に鑑定もしやすくなります。結晶を鑑定する際は、その特徴を１つずつ検討していきます。きちんと系統立てて行なえば、検討の過程で、最も一般的な鉱物の多くは排除でき、可能性を絞っていけるでしょう。

色は、石を区別する明確なポイントであり、まず最初に見るべき点です。ただし、覚えておいてください。あなたが見ている色は、初出時ほど確かな判断ポイントとはいえません。多くの石が、様々な色みを有して産出します。ほかの鉱物とまったく同じ色を帯びた鉱物、というのも、決して珍しくありません。鉱物の色を決するのは、その構成要素の１つであったり（この場合、このような鉱物は「自色性」といいます）、微量元素やインクルージョンであったりします（この場合は「他色性」です）。採掘時、ほぼすべての種の表面は汚れ、オレンジがかった茶色をしています。この汚れが、鉱物本来の色を隠していることがよくあります。

次に調べるのは、結晶の透明度です。その結晶が透明か、半透明か、不透明かを見ていくのです。常に不透明、あるいは半透明の鉱物もあります。しかしながら、通常透明な鉱物が、インクルージョンゆえに半透明あるいは不透明になってしまうことも珍しくありません。では今度は晶癖を見てみましょう。その鉱物は、細長いですか、太くて短いですか、それとも柱状や錐体をしていますか？　明らかな立方体？　八面体？　塊状なら、丸い塊か、ブドウ

写真右　この結晶はフォルステライト。ジェムストーン業界ではペリドットといわれる。

写真左　低倍率の拡大鏡でアンバー内の昆虫を観察するジェムストーンのカッティング職人

の房のようか、または粒状か？　結晶の中には、２つ以上の晶癖を有するものもあることを忘れないでください。そのために、鑑定が難しくなってくる場合もあるのです。では次に、平らな面（結晶面）を探してください。面と面が交差している角度を見極めてみましょう。それによって、その鉱物が７つある結晶系のいずれに属しているかがわかるでしょう。

結晶面の光の反射にも注意してください。艶やかな光沢はありますか？　それとも光沢はありませんか？　また、ほかにも鑑定に役立つ特徴はないか、よく考えてみてください。たとえば、はっきりとした条線（溝）を有するものや、表面に「エッチング」が見られる結晶も珍しくありません。劈開や断口も、鑑定には欠かせない重要な要因となります。劈開は、はっきりとした平らな割れの性質で、結晶面にたいして平行、対角、あるいは垂直になります。しばしば、結晶面よりも光沢があり、割れのはじまっているところには衝撃点が見られます。断口については、結晶が割れたばかりの非平面を探して、どんな断口かを確認してください。ガラスが割れるときのように、ぎざぎざすることなく、波打っているか、あるいは曲線を描いているか（貝殻状）？　さもなければ、ぎざぎざしていたり、破片状だったり、不平坦状か？

目で見てわかるチェックが終わったら、今度は結晶の硬さを調べてみましょう。ハードネスポイント（硬度測定器）があれば、結晶をこすって調べることができます。測定器がなくても、クォーツ（硬度７）のかけらかナイフ（硬度5.5）があれば大丈夫です。測定器などが結晶に傷をつけることができれば、測定器などのほうが、結晶よりも硬い、ということです。測定器が複数あれば、結晶の硬度を確定する役にも立つでしょう。ただし、こする場合はあくまでも未精製の石にしてください。カットされたジェムストーンはやめましょう。また、こする場所は、目立たないところを選んでください。

背景写真　高分子注入によって、ある種のジェムストーン――たとえば、鮮やかな青という独特な色あいを有するトルコ石など――の光沢を際立たせることも珍しくない。

ジェムストーンの鑑定

カットされただけのジェムストーンは大半が、結晶面という外観を失っているため、形のいい結晶に比べ、外面的な状態から鑑定するのは難しくなってきます。そこで、宝石鑑定士が仕事で使っている様々な道具を用いて、内部構造を調べなければなりません。

基本は、性能のいい拡大システムです。細部をきちんと調べ、インクルージョンがあるか、なんらかの処理が施されているかを確かめるには、ハンドサイズの拡大鏡かルーペが必要です。ダイヤモンドの透明度は、ルーペの基準である10倍率で調べて、確定されます。宝石鑑定士が使う顕微鏡は、それよりももっと高い倍率で調べることができますが、値段もそれなりにします。

ジェムストーンを精密に調べていくにはまず、裂溝や色のまだら、異物のかけらなどの存在を見ていくといいでしょう。鉱物粒子を見れば、ジェムストーン形成の際に、どんなほかの鉱物が存在しているかがわかり、たとえば天然と人工のエメラルドを見わける一助となります。「負結晶」(母体結晶の晶癖と同じ形の空洞)に気胞があれば、そのジェムストーンはおそらく加熱処理されていない、ということです。

ほかにも、自分で調べられることがあります。断口が充填処理されたジェムストーンの場合、真横から裂溝を見ると、「フラッシュ効果」が認められるのです。広範囲にわたる色の拡散が見られるようであれば、過度な加熱処理が施されたか、ほかの元素をジェムストーン表面に散布した可能性があります。バックファセットやファセットの反射が二重に見える場合は、そのジェムストーンが等方性でもガラスでもないことを示しています。

写真左　ジュエラーのルーペや携帯拡大鏡なら、ダイヤモンドのようなファセット加工を施された石のインクルージョンも見ることができる。

ジェムストーンを、交差偏光フィルターにはさんで見てみましょう。明るい色は複屈折を示し、模様あるいは明るい固有色は、ジェムストーン構造内のひずみを示している可能性があります。自分が調べたい鉱物やジェムストーンと比較するのに便利なのが、鉱物やジェムストーンの写真図版であり、また、宝石鑑定士のウェブサイトです。

それ以外にもいろいろな特徴が調べられます。比重を調べる場合は、空中および水中での重さを量ります。そのためには、吊るしたものの重さを量れる簡易比重測定器が必要です。比重を求める公式は：空中での重さ÷（空中での重さ－水中での重さ）です。屈折率や複屈折を調べるときには、宝石鑑定士が使う屈折率測定器がいるでしょう。これにはガラス製の半円筒がついていて、ここにジェムストーンと、屈折率流体を１滴のせます。屈折率は、接眼レンズごしにシャドウエッジとして見ることができます。エッジは、ジェムストーンあるいは偏光子の回転によって位置が変わることも珍しくありませんから、その最大値および最小値を記録しておかなければなりません。最良の結果を得るには、屈折率測定器を暗室で使用するのが１番です。使用後は、ジェムストーンも半円筒も必ずきれいに洗ってください。

多くのジェムストーンが独特な光学スペクトルを有しており、それはハンドサイズの分光器で見ることができます。この方法で、レッド・スピネルはルビーやレッド・ガーネットと、また一般的な染色ジェードは天然の緑を有するジェイダイトと見わけることができるのです。紫外線ランプを使えば､蛍光性を見極めることもできます。蛍光性が認められれば､そのジェムストーンには充填材が使用されている可能性があるでしょう。

つまり、こうした様々な道具を駆使して得られた結果をもとに、ジェムストーンの鉱物種を確定していくことができるのです。しかしながらその際には、あらゆる特徴の一致を見なければなりません。たとえば希少鉱物のターフェアイトは、複屈折以外すべての特徴がスピネルと一致します。そしてそれゆえにかつてはスピネルと間違えられてきたのです。もし疑問が残る場合には、専門のジュエラーか、大学の地質学部にそのジェムストーンを持っていくといいでしょう。

写真左　明るい光を当てれば、色の濃いものの特徴もよくわかる。写真は、ジェイダイトのバングルにある気泡を調べているところ。

背景写真　偏光によって、連晶をなす結晶がわかる。このアメジストの一部には、青と黄色の縞模様が見てとれる。

さらなる分析

ジェムストーンは、種そのものをこえた様々な情報を有しています。正確な種を確かめたい、と思う人もいるかもしれません。たとえば、ルビーなのか、ピンク・サファイアなのか？　そのジェムストーンには、産地や、その産地を示す独立した証拠はあるのか？　合成ではなく、確実に天然のものだといえるのか？　こうした問いは、重要であり、ジェムストーンの価値にも影響をおよぼしてくるものです。しかもその答えを得るには、コレクターレベルの資力やノウハウではおよばないことが多々あり、専門技術によるほかない場合がほとんどといえるでしょう。

写真下　陽子顕微鏡は、化学組成の微量種をも見つけられる。さらには、ジェムストーンに施された、巧妙なトリートメント処理も。

こうした専門技術の１つが、様々な分光分析です。これは、ジェムストーンが、分子レベルで光の様々な特性に影響をおよぼす方法を測定するものです。たとえば、可視近赤外放射計では、ジェムストーンが吸収する波長を見ます。これによって、ダイヤモンドに見られるどの色が天然のもので、どれがイオン化放射処理をした色なのかがわかるのです。

赤外放射計は、光を測定するまたべつの機器です。これは、ジェムストーンに含有されているプラスチックやポリマーを敏感に察知します。つまり、ジェムストーンの表面に達するほどの裂溝が、人工材によって充填されているかどうかを確かめるのにとても役に立つのです。またこの赤外放射計は、水の存在も感知します。これによって、天然のものによく似た合成のジェムストーンを見わけることができるでしょう。というのも、天然のジェムストーンは、少量ながら水を含有している傾向にある一方、人工のものは無水――つまり「乾燥」しているからです。

ラマン分光計は、ジェムストーンに含まれている鉱物のインクルージョンを見つけだし、それらが発する独特な光のスペクトルパターンによっ

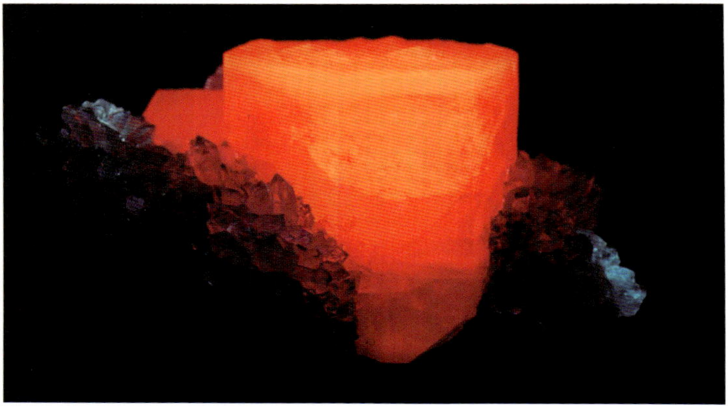

写真上　紫外線にたいして蛍光を発するカルサイトの結晶。オレンジ色のきらめきは、マンガンの含有を示す。

て、そのインクルージョンを特定することができます。インクルージョンが認められれば、そのジェムストーンは合成ではなく天然のものであることが立証されるのです。さらにインクルージョンは、いわば地理的な指紋として、そのジェムストーンの産地を正確に指摘することもできます。

エックス線蛍光は、不可視スペクトルの様々な部分を活用する専門機器です。これを用いることで、ジェムストーンに含まれている元素を特定し、条件さえそろえば、そのような元素の量を正確に測定して、化学組成を確定することもできます。ある種の元素が含有されているかいないかを知るのは、そのジェムストーンが合成か否かを決するまたべつの方法であり、なんらかのトリートメント処理が施されたか否かもわかります。エックス線であれば、たとえばパールの内部構造も明らかにできますから、天然か養殖かも断定できます。エックス線を浴びると発光するパールもあり、この性質を利用して、海水産か淡水産かを見極めることもできるのです。

さらに、フォトルミネッセンス検査もあります。これは、高圧高温処理——茶色いダイヤモンドを無色にできる処理——を検出できる唯一の方法です。レーザー誘起破壊分光法あるいはイオン・マイクロプローブを用いれば、ベリリウム拡散によって、ピンクからオレンジに変色させたサファイアを見つけだすこともできます。このような検査方法はいずれも、つまるところ鉱物学におけるすばらしい兵器であり、高性能技術の砲列も同じですから、ジェムストーンの研究所でしか目にすることはできません。

背景写真　パールをはじめとするジェムストーンに用いられるエックス線技術は、歯のレントゲン写真を撮るさい歯科医が用いるものとよく似ている。

ジェムストーンの評価

長いあいだの試行錯誤をへてようやく、ジェムストーンの評価のしかたがわかってきました。評価をくだす鑑定人は、高い技術を持った専門家です。ジェムストーンの鑑定を求める場合、保険適用のためや、課税控除対象の寄贈品にしたいなど､その理由は様々でしょう。しかしながら、評価の基準は常に「適正な市場価格」――つまり、買い手が払ってもいいと思い、売り手が応じてもいいと思う値段――です。希少な、価値の高い品であれば、適正な市場価格を決する方法は、公開オークションのみとなります。広く入手可能な品の場合は、市場に出回っているよく似た品との比較から、適正な市場価格が決められるのです。

評価の第１歩は、それがどんなジェムストーンなのかを明らかにすることです。どういう種類のものなのか？　生成法は（たとえば、天然か人工かなど）？　どこで最初に発見されたのか？　来歴はきちんと記録されているのか、あるいは内部特徴による確証があるのか？　また、なんらかのトリートメント処理が施されているか否かを確認することも重要です。

どんなジェムストーンなのかを確かめることができたら、次は質の確認です。そのために用いられる方法は通常、「４つのＣ」という言葉に要約されています。つまり､色(カラー)､透明度(クラリティ)､カッティング、重さ（カラット）です。一般に、該当する石を象徴する色が鮮やかであれば価値が高くなり、茶色や灰色がかっているものは価値が低くなります。

透明なジェムストーンは、インクルージョンがなければさらに価値が高くなります。石を粉々にしてしまいかねない開口裂溝の存在は、ことのほか嫌われます。

写真下　メレダイヤ（小粒のダイヤモンド）を分類するジュエラー。ゲージを用いて、正確なサイズを決していく。

ジェムストーンにおけるカッティングとは、何よりもまず石の形、石をどのようなデザインにするか、ということです。また、カッティングの質、という意味もこめられています。その質の判断要因としては、石がどれだけみごとに光を反射するかや、均斉のとれたカットが施されているか、ファセット面が美しいかそれとも粗雑か、デザインにたいして過剰な重さを有しているか否か、などがあります。重さもまた当然のことながら、ジェムストーンの価値を判断する基本的な要因です。しかしながら、2カラットのジェムストーンに、必ずしも同質の1カラットのジェムストーンの倍の値がつくわけではありません。ジェムストーンは、大きくなればなるほど希少性も高くなり、おのずと価値も高くなることが珍しくないからです。また、値段と重さの関係は、ジェムストーンごとに異なり、大きいジェムストーンがどの程度頻繁に発見されるかに応じて変わってくるのです。

写真上　ひときわ美しい、ラウンド・ブリリアント・カットのダイヤモンド。このように巧みにカットされたジェムストーンは、市場で高値がつけられる。

ほかにも、ジェムストーンの価値を高めることができる要因があります。たとえば、キャッツアイ(シャトヤンシー)や、スター(アステリズム)といった効果の存在です。また、色の変化もあげられます。これは、異なる光源下で見たときに、ジェムストーンが様々な色を示す現象をいいます。さらに、ジェムストーンを動かしたときに、白または色を帯びた光を放つアデュラレッセンスという現象もあります。珍しいインクルージョンを有するもの、有名な原産地から採掘されたもの、一考に値するいわれのあるものなども、さらなる価値を付与することができるでしょう。

最近では、消費者の存在を重視し、ジェムストーンを倫理的に供給するようになってきています。その結果バイヤーには、「緑」のジェムストーンを求める傾向が強く見られます。というのもこのジェムストーンは、環境破壊を引き起こすことなく採掘されており、産地や第三世界における地域活性化の一助ともなっているからです。キンバリー・プロセスがつくられたのは、ダイヤモンドの密輸によって暴利を貪る残虐な政治体制を抑制するためであり(p. 9参照)、ダイヤモンド以外の色石を扱うバイヤーたちも、公正な輸入取引の制度を確立し、坑夫やその地域社会が、ジェムストーンの売買によって利益を確実に得られるよう、尽力しているのです。

写真下　このような金箔は、新たに採掘されることもあれば、リサイクルの工程をへて調達されることもある。

鉱物の評価と保管

鉱物の評価もジェムストーンと同じですが、鉱物の場合はさらにいくつか条件が付加されます。どんな鉱物かを見極めたら、まず考えるべきは、その質の確認です。クォーツのように、きちんとした結晶形態で発見されることが多い鉱物は、たとえばトルコ石といった希少な結晶よりも、価値が低くなってきます。

写真上　きちんと整理された鉱物コレクション。こうして保存しておけば、一目で確認でき、鉱物が傷つくこともない。

次に考慮するのは、その状態です。無傷の完璧な結晶は概して、最も目立つ場所に「傷のある」ものよりもはるかに価値が高くなります。また、鉱物はときに「油脂加工」(鉱油を塗ったり、浸したりする) が施されることもあります。これによってあらゆる傷を隠し、同時に結晶面にさらなる光沢を付与することができるのです。一般に、軟らかく、繊細な鉱物は高値がつきます。無傷のものが産出しにくいためです。産地も、鉱物に価値をもたらす要因です。どこから産出したのか？　その産地はすでに有名なのか (たとえばマラカイトならアリゾナ州のビズビーなど)、あるいは、いまだ無名の産地から採掘されているものなのか？　この鉱物は、その産地ではことのほか良質なものなのか？　などを確認していきます。

と同時に、見た目の美しさも重要です。鉱物の値段を決するに際しては、美的評価という要因もあるのです。どこから見ても美しいか、あるいは、(少なくとも) 1カ所はきれいなところがあるか？　評価の対象となる結晶は、母岩、つまり結晶が形成される岩石と比べて大きいか？　その鉱物は自立可能で、展示した際見栄えがするか？　風景を思わせたり、タツノオトシゴや竜に似ているといった独特な形をしているか？　といった点も考慮していきます。母岩が結晶よりも美しかったり、拮抗する魅力を有している必要はありませんが、母岩の存在ゆえに全体の価値が増している、という面もあるのです。たとえば、その母岩にはほかにどんな鉱物が共産しているか？　その鉱物もきれいに結晶化しているか？

写真上　鉱物は、その種名や産地を記載したラベルとともに展示されることが多い。このようなキャビネットで保管しておけば、明るく、ほこりをかぶる心配もない。

状態は？　それは希少か、さもなければ、とてもすばらしいものか？　こうしたことも大事な要因といえるでしょう。そして最後に考えるべきは、その鉱物の由来です。その鉱物は、歴史的に重要な収蔵品の一部か？　古くからきちんと分類されたもので、名称を、それも特に有名な名称を持っているか？　歴史的な発見がなされたものか？　もしそうであるならば、純粋な宝石学的価値をはるかに上回ることも珍しくないでしょう。

コレクションを楽しむ

コレクションは、たんなる鉱物の収集に留まらず、コレクターの興味も反映します。鉱物の中でも、たとえばジェムストーンだけだったり、銅鉱物だけなど、特定のグループに絞って収集したいという人もいれば、「親指の爪ぐらいのもの」（2.5センチメートル角に相当）といったように、サイズを限定して集めたいという人もいます。

コレクションの価値を維持するためにも、傷をつけないように保管しておくことが必要です。分解してしまう鉱物もあれば、（硫黄元素のように）ほかの鉱物を変色させてしまうものもあります。光に敏感なものも。そして多くが、湿度に反応します。木材や合成物質から生じる煙は、鉱物そのもの、あるいはラベルに損傷を与える可能性があります。きちんとしたコレクションであれば、鉱物それぞれにラベルが添付され、個々の箱に収められたうえで、キャビネットの引き出しや、扉のついたディスプレー用のケースに収納されているでしょう。

鉱物は、その由来、特に産地の詳細がわからなくなると、その価値が激減します。かつては、鉱物に直接番号を書きこんだり、貼りつけるなどし、番号に対応したもろもろの情報は、製本やカードの目録に記載されていました。今日、そういったもろもろの情報は簡単にコンピュータに入力できますが、鉱物名や産地を明記したラベルは、やはり各鉱物に添付しておくべきでしょう。

色別ジェムストーン一覧

無色

白および灰色

黄色

緑

青

スミレ色および紫

ピンク

赤

オレンジ

茶色

黒

参考文献、ウェブサイトなど

宝石学

P・G・リード、R・ウェブスター共著
『Gems』第5版（1995年）
バターワース・ハイネマン刊、1072ページ
◆一般的なものはもとより、希少なものも記載されたジェムストーン参考書の決定版。ただし最近発見された種は不掲載。

E・J・ギュブラン、J・I・コイブラ共著
『Photoatlas of Inclusions in Gemstones』1巻（1986年）
チューリッヒのABCプレス刊、532ページ
◆様々なジェムストーンのインクルージョンを顕微鏡で見た、美しく、称賛に値する画像の数々。

E・J・ギュブラン、J・I・コイブラ共著
『Photoatlas of Inclusions in Gemstones』2巻（2005年）
バーゼルのOpinio Verlag刊、829ページ
◆顕微鏡で見たインクルージョンの資料のつづき。1986年以降の新たな情報を追記。（3巻目も執筆中）

J・I・コイブラ著
『The MicroWorld of Diamonds』
（2000年）
Gemworld International刊、157ページ
◆顕微鏡で見るダイヤモンドの画像。

C・S・ハールバット・ジュニア、R・C・カメリング共著
『Gemology』（1991年）
ワイリー・インターサイエンス刊、352ページ
◆基礎的な宝石学の本。測定法の教示および多くの一般的なジェムストーンを紹介。

R・T・リディコート・ジュニア著
『Handbook of Gem Identification』12版（1993年）
米国宝石学会刊、450ページ
◆宝石学の基本的な参考書。GIAの講義で用いられる規範。

『ジェムズ&ジェモロジー』
『The Journal of Gemology』など、
論文審査のある雑誌。

『Jeweler's Circular-Keystone(JCK)』
『Modern Jeweler』『Professional Jeweler』
などのジュエリー業界誌。特に
『Modern Jeweler's Gem Portrait』シリーズはお薦めする。
アドレスは
http://www.modernjeweler.com/online/gemProfile.jsp

The Gemological Association and Gem Testing Laboratory of Great Britain
http://www.gem-a.info/
◆非常に充実した指導が受けられる宝石学の学校。

米国宝石学界
http://www.gia.edu
◆学校、図書館、研究所、精密機器調達機関、定期刊行物、活発な同窓会組織などを有する、宝石学の総合情報源。

米国宝石協会
http://www.americangemsociety.org/
◆ジュエラーの倫理観の確立と継続的な教育を促進する団体。宝石鑑別団体協議会でもある。

米国宝石商協会
http://www.agta.org/
◆カラーストーンの業界団体、カラーストーンの鑑定検査機関。

そのほか、有益なウェブサイト

http://gemologyproject.com

www.heartofstonestudio.com
◆ジュエラーのウェブサイト。デザインカボションやファセットストーンの販売。金属細工やガラス融解にかんする専門的な情報を無料で提供してもいる。

鉱物学

R・V・ゲインズほか著
『Dana's New Mineralogy : The System of Mineralogy of James Dwight Dana and Edward Salisbury Dana』[8版]（1997年）
ジョン・ワイリー・アンド・サンズ刊
1819ページ
◆（当時）確認されていたすべての鉱物について簡潔に説明、化学的性質および構造的背景からまとめている。

C・クライン、B・ドゥトロー共著
『Manual of Mineral Science』[『Dana's Manual of Mineralogy』23版]（2007年）
ジョン・ワイリー・アンド・サンズ刊
704ページ
◆鉱物学の良質な解説書。鉱物の特性の確定法や多くの一般的な鉱物の解説も。

R・S・ミッチェル著
『Mineral Names : What Do They Mean?』（1979年）
Van Nostrand Rheinhold刊、229ページ
◆鉱物名にかんする有益な洞察。

W・L・ロバーツ、G・R・ラップ・ジュニア、J・ウェーバー共著
『Encyclopedida of Minerals』
（1974年）
Van Nostrand Rheinhold刊、693ページ
◆（当時）確認されていたすべての鉱物について短く解説。微細な結晶の写真ページも複数挿入されている（2版もあるが、写真は異なる）。

The Photo-Atlas of Minerals
（バージョン2.0）
DVD。the Gem & Mineral Councilおよびロサンゼルス郡立自然史博物館制作。http://www.nhm.org/pam
◆鉱物およびその特性についての（2007年時点での）完璧な解説。ほとんどの鉱物に豊富な画像が添付されている。

『The Mineralogical Record』『Rocks & Minerals』『Lapis』など、アマチュアむけの論文審査のある雑誌。

地元で鉱物関係の集まりを探す場合、以下のいずれかに連絡をとってみることをお薦めする。
米国：The American Federation of Mineral Societies
http://www.amfed.org
カナダ：Gem & Mineral Federation of Canada
http://www.gmfc.ca
英国：The Russell Society
http://www.russellsoc.org/

鉱物の専門協会：

イギリス鉱物学会
http://www.minersoc.org/
アメリカ鉱物学会
http://www.minsocam.org/
カナダ鉱物学会
http://www.mineralogicalassociation.ca/

その他有益なウェブサイト：

http://www.mindat.org/
http://www.webmineral.com/
一般的な鉱物データを掲載。
http://rruff.info/
化学的およびスペクトル情報を掲載。このウェブサイトでは、鉱物種特定に役立つ情報を提供している。

鑑定問い合わせ：

The American Society of Appraisers (ASA)
http://www.appraisers.org
The International Society of Appraisers (ISA)
http://isa-appraisers.org
The National Association of Jewelry Appraisers
http://www.NAJAappraisers.com
The Canadian Jewellers Institute
http://www.canadianjewellers.com/html/aapmemberlist.htm

メアリー・L・ジョンソン：
ジェムストーンの鑑定についてさらなる情報が必要な場合、また、ジョンソン博士の科学コンサルティング会社に興味がある場合は、こちらにアクセスを。
http://www.maryjohnsonconsulting.com/

索引

さ

た

な

は

Picture Credits

Alamy: 61, 87, 96, 106, 125, 131, 140, 152, 153, 175, 185.
Australian Outback Mining Pty. Ltd. (outbackmining.com)/Glenn Archer: 118.
Russ Behnke photo (russbehnke.com): 233.
Corbis: 2, 8, 13, 14TR, 32, 116, 156, 196, 226, 250, 280, 309.
DK Images: Cover, 24, 27, 34-36, 40, 41, 47, 52, 57, 59, 60, 62, 63, 67, 68, 70, 71, 73-78, 83-85, 88-89, 93, 97, 99, 100, 101, 103, 105, 107-109, 117, 121, 126, 127, 129, 130, 132, 139, 142, 149, 154, 158, 165, 167, 169, 172, 173, 176, 177, 179, 182, 183, 186, 191-195, 197, 199, 201, 204-213, 215, 217, 218, 219, 222, 223, 225, 236, 237, 240-243, 247, 248, 249, 251, 260-263, 266, 269, 271, 276-279.
© GEUS/Denmark/Karsten Secher. Photographer: Peter Warna-Moors: 69.
© Gemological Institute of America. Reprinted by permission: 124, 160.
Getty Images: 6, 7, 9, 10, 14TL, 17, 18, 19BR, 22, 25, 26, 30, 31, 37, 38, 44, 45, 56, 58, 64, 65, 66, 79, 80, 82, 86, 90, 98, 102, 133, 134, 144, 151, 155, 157, 164, 166, 168, 174, 178, 180, 181, 187, 190, 200, 202, 214, 216, 221, 244, 246, 272, 273, 275, 283, 284, 298.
iStockphoto: 19BL, 281.
Judith Kiriazis © 2008: 33, 55, 119, 135, 203, 141.
Melody Crystals (MelodyCrystals.co.uk): 141.
Pala Interntational (palagems.com)/Wimon Manorotkul: 28, 29, 39, 53, 81, 123, 161, 189, 238, 239; Jason Stephenson: 309.
Claude Pelisson (oeufspolis.com): 43, 91, 143, 145, 227, 245.
Science Photo Library: 128, 267, 303, 304, 305.

GEMSTONES
This 2008 edition published by Prospero Books,
by arrangement with Ivy Press.

Printed and bound in China

著 者: **カレン・ハレル**(Karen Hurrell)

フリー・ジャーナリスト。『Snapshots in Time』や『The Unexplained』といったベストセラーを著した作家でもある。10年以上前から、岩や鉱物、ジェムストーンの世界に魅せられる。

メアリー・L・ジョンソン(Mary L. Johnson)

カリフォルニア工科大学地球化学と、ハーバード大学鉱物学および結晶学の学位を取得。硫化鉱物や、高圧化学および物理学、隕石と原子太陽系など、そしてジェムストーンとその取り扱い方について研究を続ける。アメリカ宝石学会の西海岸担当研究開発マネジャーを経て、現在は科学コンサルティング会社を経営。

翻訳者: **岩田　佳代子**(いわた かよこ)

清泉女子大学文学部英文学科卒業。訳書に、『実用540アロマセラピーブレンド事典』(産調出版)など多数。

GEMSTONES
ジェムストーンの魅力

発　　行　2009年11月15日
発 行 者　平野　陽三
発 行 元　**ガイアブックス**
〒169-0074　東京都新宿区北新宿3-14-8
TEL.03 (3366) 1411　FAX.03 (3366) 3503
http://www.gaiajapan.co.jp
発 売 元　産調出版株式会社

ISBN 978-4-88282-720-7 C0076

Printed in China